ENFOCANDO

El arte del retrato

D1514945

ENFOCANDO

El arte del retrato

Haje Jan Kamps

marcombo
ediciones técnicas

Edición en español:

Título:
ENFOCANDO *El arte del retrato*

Autor:
Haje Jan Kamps

© MARCOMBO, S.A. 2012
  Gran Via de les Corts Catalanes, 594
  08007 Barcelona (España)

ISBN: 978-84-267-1817-4
D.L.: B-1237-2012

Impreso en
Printed in Spain

Dedicatoria

Para Ziah. Aún nos quedan muchos kilómetros por recorrer.

Acerca del autor

Haje Jan Kamps vive en Londres, donde escribe sus libros y artículos acerca de fotografía, y disfruta tomando fotos y viajando en su motocicleta.

Reconocimientos

Quisiera agradecer a Stacey Walker de Focal Press todos sus valiosos consejos durante la escritura de este libro. Además, este libro no sería igual de bueno de no haber contado con la magnífica vista de los revisores técnicos Roberta Fineberg y Scott Ghiocel.

Contenidos

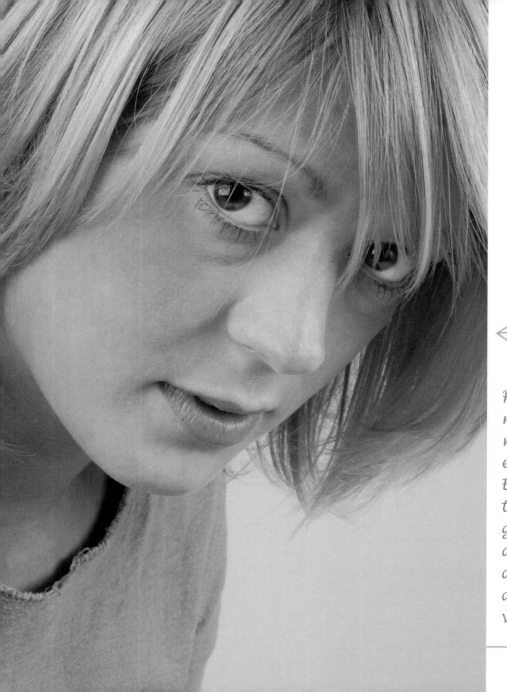

Para hacer buenos
retratos, no se
necesita tener un
equipo profesional.
El secreto de esta
toma es muy simple:
grandes cantidades
de luz natural
derramándose
a través de las
ventanas.

Introducción

EL DÍA QUE NACÍ, mi padre me miró y se fue a la tienda de fotografía más próxima. Allí compró su primera cámara réflex, una Canon A1, y un par de lentes. Todavía conservo esa cámara y me sirve para recordar por qué la fotografía es tan importante.

Para mí, la fotografía está vinculada de manera muy estrecha con la gente. Que no se me malinterprete, me encanta fotografiar paisajes y, ocasionalmente, he hecho alguna naturaleza muerta y macrofotos. En cualquier caso, para mí, la fotografía cobra vida realmente cuando saco fotos de gente, ya sea en un entorno formal, como un estudio de retratista o en una boda, ya de una forma más relajada, sesiones de fotos con los amigos, o tomando instantáneas de completos desconocidos cuando estoy de viaje.

La gente cambia constantemente. Todos somos seres humanos creativos dotados de expresividad de una forma u otra. Capturar la esencia de una persona puede resultar todo un desafío, pero es increíblemente satisfactorio fotografiar a alguien y ver como destaca algún aspecto particular de su personalidad.

Puntos clave del capítulo

Fotografiar a la gente constituye un desafío, pero es increíblemente satisfactorio. No importa si decidimos fotografiar a completos desconocidos o a nuestros mejores amigos: hay algo inherentemente íntimo y excitante en torno a los retratos.

En este capítulo, vamos a explorar qué significa fotografiar a una persona, junto con el porqué y el cómo de las mejores fotografías. Quienes deseen mejorar su técnica de retrato inmediatamente pueden pasar al final del capítulo. Allí expongo mis seis puntos fundamentales para sacar mejores fotos.

Puede resultar difícil de creer, pero las fotos de esta página se tomaron con intervalos de una hora, y todas ellas con el mismo modelo. Un poquito de creatividad sirve para recorrer un largo camino, siempre que sigamos intentando cosas nuevas.

A modo de experimento, pensemos en alguien próximo: un socio, nuestro novio, nuestra novia o un amante. Podríamos decidir fotografiarlos de muchas formas diferentes. Una foto de carnet es muy diferente de una foto suya con pose de supervillano, o supervillana, como un personaje de manga o como los protagonistas de nuestro cariño, por ejemplo.

En los retratos, podemos adoptar un enfoque documental, es decir, mostrarlos tal cual son, o podemos contar una historia. Rescatemos algunas prendas antiguas y juguemos a los disfraces: pidamos a nuestros modelos que se vistan de piratas, directores de banco, actores clásicos, gladiadores romanos, skaters o autoestopistas. ¿Suena ridículo? ¿Da risa? Eso está bien. La fotografía tiene que ser divertida y hacer retratos más todavía.

Nos lo pasaremos bien mientras aprendemos todo lo necesario sobre cómo tomar fotos estupendas de la gente. Así que, cojamos la cámara y empecemos.

¿Qué es un retrato?

Bien, de manera que ha elegido un libro sobre cómo hacer retratos. Es posible que tenga una cámara desde hace tiempo, y no haya sido capaz de sacar unas fotos todo lo buenas que hubiera soñado. O tal vez solo acaba de comprar una cámara y no sabe más que sujetarla de forma correcta. No tema, viajero fatigado, pues lo veremos todo en este curso.

Seguramente, no haga falta decir que *retratar* es "hacer fotos a la

Más adelante veremos por qué, pero por ahora basta con recordar que los ojos son lo más importante a la hora de retratar: es preciso asegurarse de que siempre estén perfectamente enfocados.

gente", hasta ahí es muy fácil. Pero ¿qué buscamos realmente en un buen retrato? En mi opinión, el elemento más importante es la personalidad. Para mí, observar una cara vacía y aburrida carece del más mínimo interés. Como fotógrafos, uno de nuestros mayores desafíos es conectar emocionalmente con nuestros modelos e inmortalizarlos en el proceso. ¡Sin presiones!

¿Es nuestro modelo una persona de aspecto pícaro? ¿Sexy? ¿Divertido? ¿Severo? Pues debemos capturar la picardía, sex-appeal, hilaridad o severidad. Más

adelante veremos cómo capturar la verdadera personalidad de alguien, pero antes de que podamos capturar su esencia, debemos tener claras las características definitorias que queramos mostrar. Si conociésemos bien a los modelos, podríamos ser capaces de adivinar los aspectos fundamentales de su personalidad por nosotros mismos. En caso contrario, debemos conectar emocionalmente con ellos. Sería bueno "sentir" de algún modo quiénes son o cómo les gustaría que los retratáramos, así que debemos dedicar tiempo a conocerlos mejor.

Por descontado, podríamos decidir hacer justo lo contrario: crear un personaje para que nuestros modelos lo interpreten. Por ejemplo, podríamos hacer que alguien muy tímido parezca atrevido o sexy, o bien que alguien de natural extrovertido y que sea un poco extravagante parezca un notario. Sin duda, la gente que conociera al modelo lo encontraría muy gracioso. Basta con imaginar al payaso de la clase convertido en oficial de policía, o a la más tímida del grupo, en bailarina de can-can. Las posibilidades son ilimitadas. Solo tenemos que usar nuestra creatividad en todo momento.

Aunque no hay nadie en la imagen, la mayoría de la gente que me conoce reconocería esto como un autorretrato. Esta foto se tomó con un iPhone y sirve para demostrar que no es necesaria una cámara de gran calidad para hacer fotos magníficas.

CÓMO CAPTURAR LA PERSONALIDAD DE ALGUIEN

Como ejercicio, pensemos en nuestros artistas favoritos. Es fácil imaginarse a Bruce Willis o a Angelina Jolie con aspecto duro jugueteando con una pistola, o a Hugh Grant con una gran sonrisa bobalicona pero encantadora en su rostro.

Cuando me inicié en el campo de los retratos, pasé un tiempo pensando a qué actor querría que se pareciesen mis modelos si estuvieran en una película de Hollywood. Comprobaba algunas de las poses, algunas de las escenas y algunas de las vestimentas que llevaban, y hacía las fotografías como si se trataran de las escenas de una película. Puede considerarse hacer trampas, pero nos mantiene pensando en la dirección correcta.

Cómo utilizar este libro

Ahora mismo, se podría pensar: un libro que trae una guía de usuario, ¿servirá de algo? Aunque parezca sorprendente, una gran cantidad de gente no termina la lectura de un libro sobre fotografía porque los dos primeros capítulos no les sirven.

Este libro está escrito para que sea lo más modular posible. Esto quiere decir que, si sentimos curiosidad acerca de los fundamentos de la fotografía, podemos ir directamente al capítulo 3 donde nos ocupamos de ello. Si queremos retocar las fotos que hemos hecho, nuestro mejor amigo será el capítulo 7. En cada capítulo, buscaremos las pequeñas notas amarillas. Siempre que se trate de algún concepto que se haya podido perder de otro capítulo, se hará una referencia cruzada al mismo. Así, cuando hablemos de *grandes aperturas* o de *lentes rápidas*, se incluirá una nota adhesiva para refrescar la memoria.

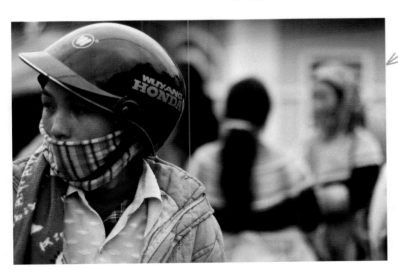

Tomar imágenes de la gente en su entorno natural se conoce como retrato ambiental o ambientado. Este tipo de retrato añade una dimensión adicional a la fotografía.

¡Llevar un registro de nuestro aprendizaje!

Antes de nada, vamos a ir a Flickr.com, crearemos una cuenta de usuario y comenzaremos a subir nuestras mejores fotos. Es muy posible que no estemos demasiado orgullosos de nuestras fotos en este momento, pero es preciso registrar nuestro progreso mientras aprendemos.

Cuando trabajamos en la mejora de nuestras fotos, es increíble lo rápido que aprendemos y mejoramos nuestra producción. Yo mismo me siento, en cierto modo, avergonzado de algunas fotos de las que me sentía orgulloso hace solo unos pocos años.

Cuando reviso mis fotos ahora, veo cómo podría mejorar las fotos que saqué no hace más de seis meses. Es una sensación agradable saber que he desarrollado una vista más aguda, porque significa que soy mejor fotógrafo hoy de lo que lo era ayer. Todo forma parte de mi proceso de crecimiento como fotógrafo. Lo mejor de todo es que siempre que siento que me he estancado, que no estoy mejorando, inmediatamente puedo ver la prueba de lo contrario.

Por descontado, incluso si nos sentimos unos campeones mundiales de la fotografía, podría resultarnos útil echar un vistazo a algunos de los capítulos que, de otro modo, pasaríamos por alto. Siempre se incluyen trucos y consejos para fotógrafos de todos los niveles. Y aun cuando no aprendamos nada nuevo, un repaso no puede hacernos mal.

Así que lo más recomendable es echar un vistazo al índice, encontrar algo interesante e ir a por ello.

¿Por qué fotografiar a las personas?

¿Por qué querríamos sacar fotos de gente? Personalmente, creo que las personas están entre los temas más versátiles que uno puede

Ingredientes: una lente Lensbaby a la última y algunas personas explorando un monumento.

fotografiar. Son sujetos dotados de emociones. Si preguntamos a la gente qué es lo que más quiere, por lo general hablan de sus amigos, familia, pareja, hijos..., vamos, que está claro, ¿no?

Las personas son capaces de hacer cosas absolutamente increíbles. Son capaces de sobreponerse a la adversidad, crear bellas obras de arte y explorar el mundo que las rodea. La próxima vez que pasemos junto a una actuación callejera, convendría que nos fijáramos en el artista. Deberíamos buscar los increíbles logros humanos de fuerza, agilidad, sentido del humor y expresividad física. Si volvemos nuestra cámara hacia la multitud, veremos una miríada de expresiones: sorpresa, diversión, escepticismo y desconcierto; todos ellos dignos de fotografiarse.

Los fotógrafos tienen el poder de hacer que las personas parezcan monstruos crueles o auténticos héroes cotidianos. Es posible sacar fotos de corte documental de nuestros hijos y ver cómo van cambiando, o bien podemos elegir un enfoque más artístico. En cualquier caso, todo gira en torno a la gente a la que retratamos y a la manera en que logramos captar la esencia de su ser.

En algunas culturas, se cree que fotografiar a alguien equivale a robarle su alma. Aunque creo que no hay mucho de cierto en eso, sí pienso que considerar el retrato como una manera creativa de desnudar el alma de las personas es una forma interesante de enfocar la fotografía.

Es terriblemente difícil de hacer, pero es muy fácil saber cuándo se ha logrado, y nuestras fotos lo agradecerán.

Este libro está diseñado para enseñarnos a acercar a los espectadores al alma de los modelos.

Con un poco de creatividad y una pizca de Photoshop, podremos elevar nuestros autorretratos a un nuevo nivel.

Seis pasos para hacer mejores fotos

A lo largo de los años, he dirigido muchos cursos y talleres de fotografía y he hecho numerosas críticas de fotos. Gracias a eso, he podido darme cuenta de que los fotógrafos principiantes tienden a cometer muchos de los mismos errores. Sus retratos quedan atrapados en un patrón circular del que encuentran difícil salir para hacer buenas fotografías de gente, en tanto no han resuelto algunos aspectos básicos.

Así que, antes de empezar con nada de lo contenido en este libro, es recomendable echar un vistazo a los siguientes seis pasos. Apréndalos de memoria y revíselos constantemente como una lista en su cabeza la próxima vez que vaya a hacer una foto. No tiene por qué usarlos todos todo el tiempo, pero téngalos presentes y verá como la calidad de sus retratos mejora de inmediato.

1 **Acérquese:** tanto si trabaja creativamente como si es en estilo documental, se dará cuenta muy pronto de que quiere acercarse mucho. Si eso no fuese posible, podría sacar partido a la enorme cantidad de megapíxeles de su cámara de fotos y utilizar la función de recorte en Photoshop (veremos más sobre esto en el capítulo 7) para acercarse. La proximidad procura un sentimiento de intimidad y además resta importancia al fondo.

2

Céntrese en los ojos: le contaré un secreto: lo primero que el espectador mirará serán los ojos del modelo. Si los enfocamos perfectamente, y, cuando decimos perfectamente, queremos decir eso, sin el más mínimo asomo de desenfoque, tendremos media batalla ganada.

3

Los reflejos en los ojos : bien, está claro que en esta foto estoy saltándome el punto 2 (los ojos no están completamente enfocados), pero ¿se ha dado cuenta de los pequeños reflejos que se ven en ellos? Esos reflejos se conocen como "catchlights" y son enormemente importantes para dar vida a los ojos del modelo. Es posible añadirlos mediante un flash de relleno, como veremos en el capítulo 4.

4

Vigile el fondo: cuando se hacen fotos de gente, los modelos son lo más importante, así que debemos asegurarnos de que el fondo no les resta protagonismo. Es posible hacer esto de varias maneras, por ejemplo: moviendo a los modelos, es decir, situándolos frente a una pared blanca en vez de una librería; moviéndonos nosotros, cambiar la perspectiva suele cambiar el fondo; o, como en este caso, usando una gran apertura, que veremos en el capítulo 3, para desenfocar el fondo.

5

¡Interaccione!: intente conectar con sus modelos. Hable con ellos; deles instrucciones claras, sí, pero intente añadir algo de diversión al proceso. Esta foto, por ejemplo, se tomó durante una boda. Un rápido "¡Hey, Emily!" y una mueca graciosa fueron suficientes para hacerla reír. 1/80 de segundo después, esta foto se hizo realidad.

6

Utilice el entorno: puede parecer obvio, pero si estamos sacando fotos de un ajedrecista o de un fotógrafo, por ejemplo, deberíamos dejarlos jugar al ajedrez y hacer fotos, respectivamente. Ni siquiera hay que intentarlo: la concentración y la pasión brillarán por sí solos y darán como resultado retratos magníficos.

¡Hágalo realidad!

Sus deberes consisten en revisar la calidad de sus retratos hasta la fecha. ¿Cuántas de sus fotos rompen las reglas expuestas en estos seis pasos? Las reglas rotas, ¿mejoran las imágenes, o serían mejores si las hubiéramos seguido?

Ahora, con estos pasos frescos en la mente, haga alguna fotografía en la que se atenga a las reglas. Observará que estas fotos son muy distintas a sus retratos habituales.

Tomada con una Canon EOS D60. Es posible adquirir cámaras réflex digitales más antiguas con precios bajos en eBay.

Equipamiento

Siempre me sorprende la horrible tendencia que tienen los fotógrafos a volverse locos con los equipos. Las riñas de "mi cámara es mejor que la tuya" o "Canon frente a Nikon" hacen furor en Internet, en charlas de compañeros y hasta durante el trabajo; allí donde haya dos fotógrafos, habrá discusiones airadas sobre quién es mejor.

Quiero compartir un secreto: grosso modo, muy pocos fotógrafos se ven frenados por sus cámaras, sobre todo en lo que se refiere a los cuerpos de cámara. Para probar ese extremo, tomé la decisión de utilizar sólo las cámaras más básicas hace muchos años. Con muy pocas excepciones, todas las fotos de este libro se hicieron con equipos asequibles. ¿La foto de la portada? Se hizo con una Canon EOS Rebel XSi (o 450D en Europa).

Lo que quiero decir es que si vamos a invertir dinero en algo, lo mejor es hacerlo en viajes y en objetivos de calidad. Conozca lugares que puedan servirle de inspiración y lleve con usted "buen cristal", como dicen los fotógrafos. Si alguien le dice que necesita el cuerpo de cámara más alto de la gama los objetivos más caros, que pueden costar más que su coche, dígamelo y tendremos unas palabras. Sinceramente, si se sabe lo que se está haciendo, es posible hacer fotos increíbles casi con cualquier cámara.

No obstante, un libro como este no estaría completo sin un breve análisis sobre los equipos que se adapten especialmente bien a la tarea de hacer retratos. Bien, ¡allá vamos!

La iluminación y la creatividad son más importantes que el equipamiento.

Cómo elegir el cuerpo de la cámara

Lo primero que deben hacer los principiantes es elegir el cuerpo de la cámara. La buena noticia es que resulta muy difícil tomar una mala decisión al comprar un cuerpo de cámara SLR. De hecho, soy incapaz de pensar en una sola cámara SLR mala que haya aparecido en los últimos 10 años.

No tema adquirir una cámara de segunda mano si tiene un presupuesto ajustado. Un montón de personas actualizan sus equipos después de solo unos pocos años y es posible encontrar verdaderas gangas.

Si decide comprar material nuevo, debería pensar en cómo de resistente quiere que sea su cámara. Si viaja muy a menudo y tiene tendencia a forzar sus equipos, adquiera una cámara de la gama media. Si, por el contrario, es una persona cuidadosa, está de suerte, puesto que una cámara de principiante es, probablemente, todo lo que necesita.

No tengo intención de entrar en el debate "Canon frente a Nikon". Yo utilizo Canon, pero sobre todo es porque compré una Canon D30 hace muchos, muchos años. Se

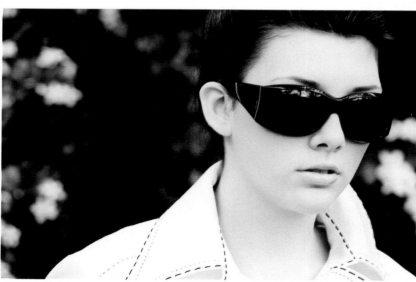

trataba de la primera cámara réflex digital asequible del mercado. Además, ya tenía unos cuantos objetivos interesantes de mis cámaras de película, así que decidí quedarme con Canon.

Si no tiene equipamiento alguno, seleccione la marca que prefiera, pero tenga en cuenta que la elección que haga lo perseguirá durante años, en particular si también invierte algo de dinero en buenos objetivos. En general, suelo recomendar que se adquieran equipos, o bien de Canon, o bien de Nikon, puesto que dichas marcas cuentan con el catálogo más extenso de objetivos y accesorios. En la práctica, todos los fabricantes de cámaras fabrican algunos modelos muy buenos, así que en realidad hay pocas posibilidades de equivocarse. Compre una cámara y no vuelva a mirar atrás.

Romper las "reglas" de los retratos no es más que la mitad de la diversión.

La compra de los objetivos

Se deben buscar dos cosas importantes en todo buen objetivo para hacer retratos: que logre imágenes nítidas y brillantes. El aspecto de "nitidez" implica que necesitaremos un objetivo con lentes de buena calidad. En cuanto a la "brillantez", nos referimos a la máxima apertura, por ejemplo en f/2.8. Un objetivo de la gama de consumo que tenga una apertura máxima de f/5.6 no será, por lo general, suficiente. Como veremos

más adelante en el libro, resulta útil ser capaces de disparar con una gran apertura para desenfocar el fondo de la imagen.

No deje que esto lo desanime, ni mucho menos. Ciertamente es posible hacer retratos con casi cualquier objetivo. Pruebe con cualquier objetivo que tenga a mano y comprobará que también se pueden conseguir buenos resultados. No obstante, si ya está listo para pasar al siguiente nivel, merece la pena que piense

detenidamente. ¿Por qué? Bueno, porque probablemente vaya a gastarse bastante dinero.

Existen muchas escuelas de pensamiento acerca de las características de un buen objetivo para hacer retratos, algunas de las cuales se verán aquí. Sin embargo, hay algo que me gustaría dejar claro desde el principio. Aunque ya he dicho que se puede pasar muy bien con un cuerpo de cámara barato, lo mismo no puede aplicarse a los objetivos.

Si hubiera usado una apertura mayor aquí, como f/2.8, el fondo habría estado más desenfocado. Y eso probablemente se hubiera traducido en un resultado globalmente más satisfactorio.

La parte buena de comprar objetivos de buena calidad es que duran mucho. Yo mismo, tengo unos cuantos objetivos que compré hace más de diez años y que aún funcionan perfectamente. Recuerde que los objetivos Canon no se pueden usar con cámaras Nikon, Sony o Pentax. Por eso es tan importante tomar decisiones informadas antes de comprar objetivos caros. Hay que tener en cuenta que si no se pueden transferir al cuerpo de cámara que vaya a adquirir, tendrá que comprarlos también. Y eso encarece la compra rápidamente. Lo bueno es que, si cuida bien de sus objetivos, es muy fácil que superen la vida útil de la cámara. De este modo, tendrá suficiente con adquirir un nuevo cuerpo de cámara para seguir usando sus objetivos favoritos. Yo poseo un auténtico veterano de Canon por el que pagué un montón de dinero hace una década. Lo he usado con ocho cámaras Canon diferentes a lo largo de los años, y todavía es capaz de ofrecerme las imágenes que deseo.

Lo que trato de decir es que, en lo tocante a objetivos, debemos ser consumidores exigentes. Antes de comprarlo, deberíamos probar el objetivo que estemos pensando adquirir. Asimismo, tendríamos que asegurarlo adecuadamente frente a daños accidentales y robo y ser muy cuidadosos con él.

Un objetivo 70-200 mm f/2.8 con zoom es perfecto para instantáneas y conciertos.

Hacer esta foto a f/2.8 me dio una baja profundidad de campo, que me ayudó a eliminar un fondo desastroso.

Si tiene una tienda de fotografía profesional cerca, tal vez le dejen probar un objetivo por un día para asegurarse de que es el adecuado para usted. Sin embargo, con la cantidad de gente que compra sus objetivos por Internet y con los márgenes del mercado profesional cayendo sin parar, es poco probable que encuentre ninguna dispuesta a prestárselo.

Felizmente, son muchas las tiendas que ofrecen objetivos en alquiler por días, semanas o meses. Antes de poner mil euros sobre la mesa para llevarse un objetivo de buena calidad, es una buena idea alquilarlo durante un tiempo y asegurarse de que es el adecuado. También es posible, por supuesto, comprar objetivos de segunda mano tanto en tiendas como en Internet.

Cómo es un buen objetivo para hacer retratos

Aunque suelo preferir los objetivos con focal fija, es decir, sin zoom, para la mayoría de los tipos de fotografía, a la hora de retratar, es muy práctico tener un objetivo con zoom. Si su interés por la fotografía es serio, merece la pena que invierta algo de dinero en adquirir un buen objetivo polivalente.

Los objetivos gran angular se pueden utilizar en ocasiones para hacer retratos, pero el problema es que, si nos acercamos lo suficiente a alguien con uno de estos objetivos, sus rasgos faciales se distorsionarán. Más en concreto, si hacemos un primerísimo plano de alguien con algo parecido a

Hay gente a la que le gusta el efecto de los objetivos Softfocus, pero, hoy por hoy, es menos problemático y mucho más barato lograr un efecto similar con Photoshop.

un objetivo de 20 mm, su nariz se verá enorme. Esto no suele ser muy favorecedor, si bien podríamos decidir usarlo como efecto creativo.

Así pues, si los grandes angulares solo se pueden usar excepcionalmente, ¿qué funciona bien? ¡Lo contrario, claro está! Un montón de fotógrafos están absolutamente convencidos de las bondades de los objetivos en la

zona de los 85-135 mm. Durante mucho tiempo, Canon fabricó un objetivo especial para retratistas: el Canon EF 135 mm f/2.8 con Softfocus. El efecto Softfocus no es la panacea para todo el mundo, pero es adorable.

Un estupendo objetivo "todo-terreno" es el 70-200 mm f/2.8. Tanto Canon como Nikon hacen su propia versión del mismo, pero

son realmente caros. No obstante, si se trabaja de forma profesional, merecen la pena, pero siempre podemos valorar la gama de objetivos Sigma. Sigma fabrica sus ópticas para que sean compatibles con la mayoría de las cámaras y su oferta de gama alta es muy buena. Pese a que su calidad no es tan extraordinaria como la de las gamas más altas de los fabricantes de las cámaras, sus objetivos son hasta un 60% más baratos y ofrecen una gran relación calidad/precio.

Personalmente, doy fe del objetivo Sigma 70-200 f/2.8 APO EX HSM. Lo he utilizado para retratos, conciertos, deportes y fotografía de fauna salvaje con excelentes resultados.

Si deseamos especializarnos un poco más, la mayoría de los fabricantes de cámaras hacen un objetivo macro 100 mm f/2.8 que resulta fantástico para macrofotografía, lógicamente, pero que también es una óptica estupenda para retratos.

Flashes e iluminación

A medida que vamos aprendiendo las técnicas del retrato, nos empezaremos a sentir limitados por las condiciones de iluminación que tengamos disponibles. No me malinterprete. La luz natural a menudo se ve espléndida, pero en ocasiones simplemente queremos más. Y ahí es donde entran los flashes y la iluminación artificial.

La iluminación artificial es de dos tipos: flashes e iluminación continua. En el caso de los retratos, ambos tipos dan buenos resultados, pero ambos tienen sus ventajas y sus inconvenientes.

Un flash tiende a producir más luz que la iluminación continua, pero puede resultar difícil obtener los resultados que buscamos si no tenemos práctica. Si optamos por utilizar flashes, podemos optar

Para aprender más sobre las técnicas creativas con el flash, diríjase al capítulo 5.

El flash nos permite tomar completamente el control de la luz en una escena con unos resultados sorprendentes.

Para una sencilla introducción a la fotografía con flash fuera de cámara, podemos echar un vistazo a este vídeo en YouTube: tinyurl.com/ strobist101.

por los más pequeños, dotados de batería, que se pueden acoplar a la cámara o usarse fuera de cámara con un disparador remoto. La otra opción consiste en los flashes de estudio que, en general, se conectan a la alimentación eléctrica y son más potentes, pero significativamente más grandes y difíciles de transportar.

El trabajo con iluminación continua resulta más fácil que con flash porque es posible ver, de inmediato, el resultado de la iluminación de la escena. El inconveniente de la iluminación continua es que resulta mucho menos brillante que el flash.

Se podría escribir un libro entero con las técnicas de iluminación creativa, pero eso cae fuera del alcance de este libro. Por ahora, recomendaría la compra de al menos un flash para la cámara, puesto que resultará práctico con independencia de la dirección que decidamos seguir en el futuro.

Los flashes para las cámaras deben cargarse desde sus baterías antes de que se pueda hacer una foto. Cuando estas se van descargando, el tiempo de carga se incrementa, sobre todo cuando los usamos a plena potencia. Se puede minimizar este efecto utilizando baterías recargables, que son mejores para esto que las alcalinas, o utilizando una batería externa para flashes.

ILUMINACIÓN CONTINUA ARTESANAL

Si queremos ver qué significa trabajar con iluminación artificial sin gastar demasiado dinero, podemos utilizar lámparas halógenas. Estas se pueden conseguir por poco dinero en las ferreterías y almacenes de iluminación, a menudo con peanas, y ofrecen gran cantidad de luz.

El inconveniente de estas luces es que carecen de equilibrio de color, así que los resultados pueden variar a lo largo de una sesión, aunque, si trabajamos en formato RAW, esto se puede resolver fácilmente después. Otro inconveniente es que se calientan mucho.

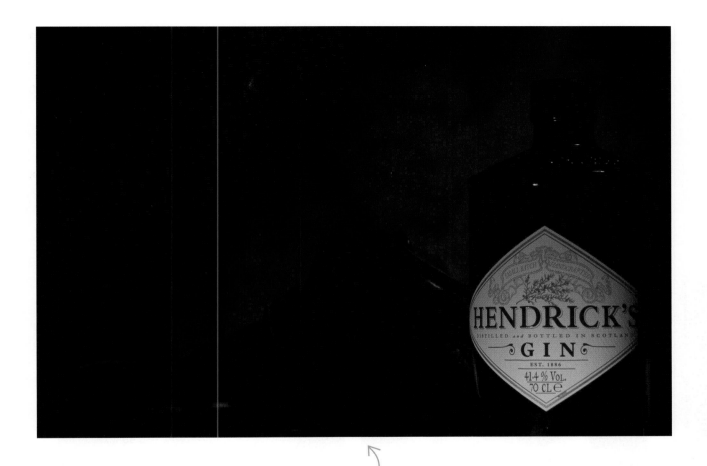

Si combinamos el flash con unas piezas de plástico conocidas como geles, podremos obtener interesantes efectos luminosos. En esta foto, se han utilizado dos flashes: uno blanco para iluminar la etiqueta de la botella de ginebra y otro con un gel azul para el fondo.

Reflectores y difusores

Tanto si estamos trabajando con luz natural como con luz artificial, a menudo resulta beneficioso manipular la luz de un modo u otro. Dos de las formas más sencillas de hacerlo consisten en utilizar reflectores y difusores.

Lógicamente, un reflector está diseñado para reflejar la luz hacia el modelo. Esto puede resultar magnífico si estamos haciendo fotos en el exterior con la luz del sol. En esta situación, nuestro modelo puede tener un lado muy brillante debido al sol, mientras que el otro está bañado en sombra. Un reflector, normalmente un paraguas con el interior forrado de material reflectante plateado, sirve para hacer *rebotar* el sol sobre la parte oscura de la cara del modelo. Suena un poco rudimentario, pero funciona a las mil maravillas.

Podemos obtener reflectores con un tono dorado. Funcionan igual que los plateados, pero sirven para "calentar" la luz, lo que resulta estupendo si estamos sacando fotos en la sombra, por ejemplo.

Un difusor suele ser un tejido blanco finamente entrelazado. También se pueden emplear como reflectores, pero suelen reflejar menos luz que los más específicos para esta función. Por el contrario,

Incluso en una foto tan sencilla como esta, se puede observar la gran diferencia que supone añadir un reflector junto a la figura.

la idea es que la luz atraviese el difusor, no que se refleje en él. El resultado de esto es que la fuente de luz parece venir de un área más grande y que es de una naturaleza más suave. A menudo resulta difícil entender por qué los difusores funcionan tan bien, pero si alguna vez hemos hecho fotos al aire libre un día soleado y, en un momento, una nube cubrió el sol, las fotos hechas así se beneficiaron de un gran difusor. Después de todo, las nubes blancas no bloquean el paso del sol por completo; filtran la luz de forma que parece venir de un área mucho mayor, como con un difusor.

Cuando empezamos a trabajar en estudio, encontramos que tanto los difusores como los reflectores son imprescindibles. Incluso si optamos por la luz natural, conviene tenerlos en cuenta como herramientas para obtener los resultados buscados.

Tanto los difusores como los reflectores se presentan en distintos tamaños. Desde los más pequeños, con el tamaño de un plato de café, hasta los de cuerpo entero, que se usan para fotografía de moda en exteriores.

Ambas fotos se tomaron con difusores situados entre las fuentes de luz y los modelos.

Equipamiento para un estudio básico

Durante la mayor parte de mi vida como fotógrafo he utilizado únicamente luz natural. Siempre he tenido uno o dos flashes por ahí, pero debo admitir que nunca sabía cómo obtener los mejores efectos. Luego, hace unos pocos años, decidí que era ridículo no utilizar iluminación artificial más a menudo y compré un kit completo. Desde entonces, no he vuelto a mirar atrás. La iluminación artificial no tiene por qué parecer "falsa", y sí que nos proporciona una

Una fuerte iluminación lateral puede ayudar a dar carácter a los autorretratos. Pruébelo, es fácil.

flexibilidad tremenda a la hora de obtener la atmósfera deseada.

Asimismo, hacernos con nuestro propio estudio tampoco tiene porque resultar prohibitivamente caro. Es posible adquirir kits de estudio completos por menos de 300 euros en la actualidad. Puede que no sea el mejor ni el más fuerte de los equipos que se puedan comprar, pero hasta los sistemas

de flash más baratos dan mejores resultados que si solo se utiliza luz natural.

Como mínimo, necesitaremos dos luces; o mejor tres. La elección de flashes o iluminación continua es cosa suya, pero yo me inclinaría por los primeros, aunque solo fuera por la cantidad extra de luz que aportan. Además de las propias luces, necesitaremos peanas que

permitan elevarlas y bajarlas a voluntad hasta dar con la altura óptima.

Para dar forma a las luces, serán precisos cierto número de modificadores: algunos reflectores, por ejemplo, y una caja de luz, que básicamente es un gran difusor, mejorarán la iluminación de los retratos.

A menos que prefiramos los retratos en exteriores, también necesitaremos algunos fondos. Los telones de fondo suelen venir en rollos de papel o de tela que se pueden colgar entre dos soportes de metal o peanas. Una peana es una pieza de metal alta y resistente que sirve para sostener el telón tras los modelos. Si estamos aprovisionando un estudio permanente, podríamos considerar un soporte para telones estable, que se instalaría en la pared. Hace lo mismo que las peanas, pero tiene menos probabilidades de caerse y sirve para quitar de en medio los rollos cuando no los estamos usando.

Una luz gloriosa, una pose fantástica pero..., ¡desenfocada! ¡Qué vergüenza!

Fundamentos de fotografía

COMO CUALQUIER FORMA DE ARTE, la fotografía tiene dos caras. Se deben tener ciertas ideas artísticas, lo que se conoce como la *visión* o el *ojo del fotógrafo*. La cruz de la moneda son los conocimientos técnicos que se necesitan para lograr que las fotos tengan la apariencia deseada.

No tiene sentido hacer fotos que sean perfectas técnicamente, pero increíblemente aburridas. De forma parecida, no sirve de nada componer las mejores fotos en nuestra mente si no somos capaces de trasladar esa imagen mental al mundo real modificando los ajustes de la cámara.

En este capítulo, vamos a dejar de lado la parte creativa y analizaremos detenidamente las habilidades técnicas necesarias para las fotografías, incluido el funcionamiento de la ISO, la apertura y el obturador.

Una ISO elevada puede funcionar en algunos casos, pero, si la llevamos demasiado lejos, obtendremos demasiado ruido digital. En este caso, una ISO 1000 fue demasiado para mi gusto.

¿Qué afecta a la exposición?

Dicho lo más simplemente posible, una cámara es una caja a prueba de luz. En el pasado, la caja contenía película, pero, hoy en día, la mayoría son digitales, es decir, contienen un sensor de imagen. Este sensor o chip de imagen tiene una tarea simple: medir toda la luz que incide sobre él. Cuando tomamos una foto, miles y miles de diminutos sensores de luz miden la cantidad de luz que ha atravesado el objetivo hacia el interior del cuerpo de la cámara.

Cuando sacamos fotos, en realidad lo que hacemos es ajustar la cantidad de luz que entra en el cuerpo de la cámara. Para ello, modificamos tres ajustes de la cámara: la velocidad del obturador, la apertura y la ISO.

Imagine por un instante que el cuerpo de su cámara es un cubo que debe llenar y que tiene tres mangueras diferentes para ello. Una de ellas tiene el tamaño de una pajita, otra el de un cigarro puro y la última, el de una tubería de drenaje. Ni que decir tiene que podríamos llenar el cubo de agua con cualquiera de las tres, pero el tiempo empleado sería distinto en cada caso.

Ninguna parte de esta foto es demasiado brillante ni demasiado oscura. La definición es muy detallada en la zona de grises entre el negro más profundo y el blanco más brillante. Es decir, la exposición es perfecta.

LA PALABRA "RÁPIDO" EN FOTOGRAFÍA

Los fotógrafos a menudo hablan de *rápido* y *lento* de una forma que puede resultar confusa. Aunque trataremos de ser consistentes a lo largo del libro, la lista siguiente puede resultar práctica.

- Una *velocidad de obturación* rápida implica que el obturador estará abierto durante un periodo de tiempo muy breve, es decir, dejará entrar menos luz.

- Un objetivo *rápido* es el que ofrece una gran apertura máxima, es decir, uno que deja entrar más luz.

- Una *película* rápida o, más comúnmente en cámaras digitales, una ISO rápida significa un valor elevado de ISO. Por ejemplo, una ISO de 1000 frente a una de 200.

- Rara vez se habla de *apertura* rápida, pero, cuando se hace, se refiere a una gran apertura, es decir, una que deja entrar más luz.

La fotografía es similar. En el interior del objetivo hay un diafragma, que básicamente es un dispositivo capaz de cambiar el tamaño de un agujero. Como se puede suponer, un gran agujero deja pasar mucha luz, mientras que uno pequeño deja pasar menos cantidad. Este agujero se conoce como *apertura*. Seleccionar una gran apertura es igual que elegir la tubería más grande para llenar el cubo de agua. Por su parte, una apertura pequeña hace lo contrario.

El otro control del que estamos hablando es la velocidad de obturación. Esto es la cantidad de tiempo que el obturador permite el paso de luz al interior de la cámara. Una velocidad de obturación *rápida* podría ser 1/1000 (una milésima) de segundo, la cual no deja pasar demasiada luz. Una velocidad de obturación más lenta sería de 1/50 de segundo. Una velocidad de obturación de 1/50 significa que el

Divertido efecto, cortesía de un objetivo Lensbaby. Igualmente, una exposición perfecta.

obturador permanece abierto 20 veces más tiempo que en el caso de 1/1000. Como es fácil adivinar, esto significa que dejará pasar 20 veces más luz.

Por último, podemos controlar la exposición con el ajuste del valor de la ISO en la cámara. Veremos esto más adelante en este capítulo.

Desobedecer las decisiones de la cámara: el modo manual

La exposición suele ser el primer escollo con el que tropiezan los fotógrafos principiantes. Por supuesto, existen técnicas en las que se utiliza a propósito una exposición "errónea", pero son difíciles de hacer bien. Si estamos empezando, lo más recomendable es intentar que nuestras exposiciones sean "correctas". Una vez que seamos capaces de obtener fotografías correctamente expuestas de forma consistente, podremos experimentar todo lo que queramos.

No obstante, hay buenas noticias relacionadas con todo esto: el sensor de luz de las cámaras modernas es un elemento con una

En esta foto, la cara del modelo es tan brillante que ni siquiera se puede apreciar su piel. Esto significa que se sobreexpuso por accidente.

No obstante, la sobreexposición no siempre es algo malo. En esta foto, decidí buscar un contraste muy acusado y creo que las zonas "quemadas" se ven muy bien.

Esta imagen contiene mucho negro, pero, gracias a que los brillos se ven tan bien, el efecto global es sorprendente.

Lo normal es que la cámara haga la exposición correcta, pero hay situaciones en las que los sensores de luz se equivocan siempre. Si, por ejemplo, hacemos fotos en la nieve, la cámara trataría de exponerla correctamente y eso provocaría que lo que estamos intentando fotografiar quedase demasiado oscuro. Lo contrario sucede ocasionalmente cuando estamos haciendo fotos con grandes fondos oscuros.

Para convencer a nuestra cámara de que se equivoca y que nosotros tenemos razón, podemos cambiar el valor de EV (*Exposure Value* o valor de exposición). Para averiguar cómo hacerlo deberemos consultar el manual de nuestra cámara. Si las fotos nos salen demasiado brillantes, introduciremos un valor negativo, y si son demasiado oscuras, uno positivo.

Nuestra cámara seguirá haciendo todos los cálculos, pero ajustará la exposición con la cantidad que hayamos introducido.

tecnología impresionante que rara vez se equivoca, como veremos. Si lo hiciera, aún tenemos unas pocas opciones, tales como ajustar el EV (véase la nota al margen) o utilizar el modo de exposición manual para tomar el control total de la cámara.

Más allá de los modos de cámara automáticos

Probablemente, habremos localizado ya la rueda de selección para los modos en la parte superior de nuestra cámara. Normalmente, indica cosas como: "P", para el modo "Programación"; "T" o "Tv", para el modo "Tiempo" o para fijar la prioridad del tiempo de exposición; "A" o "Av", para la prioridad de la apertura, y "M", para el modo "Manual". Muchas cámaras cuentan también con una serie de modos *creativos* para, por ejemplo, fotografía nocturna, retratos, fotografía de paisajes, etc.

Como nuestra aspiración es llegar a ser "auténticos" fotógrafos, es hora de prescindir completamente de los modos automáticos. Para cuando terminemos de leer este capítulo, sabremos todo lo necesario y nunca más tendremos necesidad de hacer trampas. En mi opinión, este es el primer paso para convertirse en un verdadero fotógrafo.

Para dar nuestro primer paso de alejamiento de los modos manuales, pero dejando que la cámara se encargue del trabajo duro, elegiremos el modo de programación. En este modo, la cámara seleccionará la apertura y el tiempo de obturación por nosotros, pero seremos capaces de ajustar el sesgo de la exposición con facilidad. Para ello, presionaremos a medias el botón del obturador y la cámara medirá la luz y calculará la exposición.

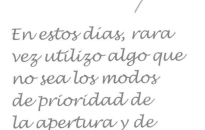

En estos días, rara vez utilizo algo que no sea los modos de prioridad de la apertura y de exposición manual.

Con el modo de programación se pueden obtener imágenes fantásticas.

Compruebe el manual de su cámara para ver cómo cambiar el sesgo de una exposición cuando esté en el modo de programación. En la mayoría de las cámaras, contamos con una ruedecilla

SESGO

Las velocidades de obturación y las aperturas se presentan en pares. Para una escena concreta, valores de 1/200 de segundo y f/8 podrían resultar la combinación perfecta de velocidad de obturación y apertura. Sin embargo, es posible aumentar la velocidad de obturación digamos hasta 1/800 de segundo, si además seleccionamos una apertura más grande. En este caso, como hemos cuadruplicado la velocidad de exposición, podríamos usar f/4.

Cuando hacemos este cambio, la cantidad de luz que alcanza el sensor de nuestra cámara permanece constante, pero estamos cambiando el *sesgo* de la fotografía. Esto resulta muy útil cuando se utilizan aperturas pequeñas o grandes y velocidades de obturación rápidas o lentas para obtener efectos creativos en una foto particular.

de ajuste junto a nuestro dedo índice. Bastará con accionarla para lograr una apertura mayor

¿MODO AUTOMÁTICO O MODO DE PROGRAMACIÓN?

En modo automático, solo utilizaremos nuestra cámara réflex digital como una carísima cámara compacta, magnífica para instantáneas, pero infrautilizada. Esto quiere decir que la cámara hará todo el trabajo y que no tendremos influencia creativa alguna.

En lugar de eso, debemos disparar en modo de programación. En este caso, la cámara seguirá encargándose de la apertura y de la velocidad de obturación, pero podremos seleccionar la ISO y prescindir de las decisiones de la misma si seleccionamos un sesgo EV para, por ejemplo, forzar una sobre exposición o una infraexposición de las imágenes.

Mejor todavía es comenzar a pensar en lo que deseamos lograr con nuestras imágenes y manipular las prioridades de obturación y apertura, así como emplear el modo manual, frente a los modos automático o de programación.

Para lograr esta foto, se realizó, a propósito, una exposición para el fondo con un valor negativo de -1,5 en el sesgo de EV.

y una velocidad de obturación más rápida. Si la accionamos en sentido contrario, obtendremos menor apertura y una velocidad de obturación más lenta. La exposición aún será "correcta" según la cámara, pero podremos influir en lo que esta esté haciendo, al menos.

Disparo en modo de prioridad de apertura porque sabía que debía emplear una apertura grande, de f/2.8, en este caso.

Prioridad de obturador y apertura

Más tarde, en este mismo capítulo, analizaremos cómo la apertura y la velocidad de obturación afectan a

Para captar la velocidad, hice esta foto con una velocidad de obturación relativamente lenta (1/25 de segundo).

la fotografía. Lisa y llanamente, una foto realizada con una velocidad de obturación lenta será muy diferente de otra realizada con una velocidad de obturación rápida. Análogamente, una foto hecha con una gran apertura será muy distinta de otra hecha con una apertura pequeña. Hablaremos, asimismo, sobre los efectos creativos de la profundidad de campo al final del capítulo.

Una vez que conozcamos los efectos de las diferentes velocidades de obturación y aperturas, nos

daremos cuenta de lo conveniente que resulta utilizar esas diferencias al hacer retratos.

En el modo de prioridad de apertura (que suele ser "A" o "Av" en el dial de la cámara) seleccionaremos la apertura que deseemos utilizar y la cámara se encargará de calcular la velocidad de obturación más adecuada a la iluminación presente. Existen dos motivos para utilizar el modo de prioridad de apertura. En primer lugar, para los retratos, una gran apertura logra una escasa

profundidad de campo, que es el efecto más buscado habitualmente. En segundo lugar, este modo nos asegura que obtendremos siempre la mayor velocidad de obturación disponible. Para asegurarnos de que la cámara utiliza la mayor velocidad de obturación posible, simplemente seleccionaremos la mayor apertura de nuestro objetivo y la cámara hará el resto.

Como cabía esperar, el modo de prioridad de obturación, es decir, "S", "T" o "Tv", hace justo lo contrario. Si seleccionamos la velocidad (o el tiempo, es lo mismo) de obturación que queremos, la cámara medirá la iluminación disponible y ajustará la apertura de forma automática.

Usaremos el modo prioridad de obturación siempre que deseemos obtener un efecto concreto que solo se pueda conseguir con una velocidad de obturación lenta o rápida. Si queremos dar la sensación de velocidad, usaremos una velocidad de obturación lenta, por ejemplo 1/20 de segundo, porque esto ocasiona un desenfoque de movimiento. Para congelar el movimiento, podríamos utilizar una velocidad de obturación rápida, por ejemplo 1/1000 de segundo o incluso superior.

En ambos modos es posible incrementar o reducir la exposición modificando los valores del sesgo EV exactamente igual que en el modo de programación.

Enfocar correctamente

Como vimos en el capítulo 1, si somos capaces de enfocar la mirada, ya tenemos la mitad del trabajo hecho. En algunos casos,

Ya sabemos que sí los ojos están bien enfocados, es que hemos enfocado bien al modelo.

por descontado, esto es más fácil de decir que de hacer.

Muchos libros de fotografía le dirán que utilice el enfoque manual, pero personalmente creo que es una tontería. La función de enfoque automático en la mayoría de las cámaras réflex digitales modernas es más rápida y precisa que el enfoque manual de todos los fotógrafos profesionales que conozco.

Incluso si nos da por experimentar y decidimos no mostrar realmente los ojos del modelo, esa seguirá siendo la parte a la que primero mirarán los espectadores, así que debemos enfocarlos tanto como sea posible.

Si alguna vez ha utilizado una antigua cámara réflex con enfoque manual, lo más probable es que no tuviera problemas para enfocar correctamente. El motivo de ello es que esas cámaras réflex solían incorporar una *pantalla de enfoque* especial en el seno del pentaprisma en la parte superior de la cámara. Esta pantalla de enfoque hacía mucho más fácil enfocar, pero también oscurecía mucho el visor.

Las cámaras modernas han sacrificado la sencillez del enfoque en beneficio de un visor más luminoso. Una buena decisión, en mi opinión, pero el resultado es que, en la mayoría de los casos, tendremos que utilizar el enfoque automático.

Si alguna vez se ha sentido frustrado por el enfoque de su cámara, le agradará saber que existen una serie de trucos. El enfoque automático funciona mejor cuando apuntamos la cámara hacia modelos con mucho contraste y bien iluminados. Si apuntamos la cámara a la camiseta de alguien, lo más probable es que veamos el enfoque automático en "modo caza", es decir, moviendo el objetivo adelante y atrás tratando de enfocar. Podemos ayudarle a conseguirlo si apuntamos la cámara al borde de la camiseta y el cuello. En ese caso, el enfoque automático funcionará en una fracción de segundo.

La forma correcta de enfocar es la siguiente: si estamos usando un objetivo con zoom, ampliaremos la imagen todo lo posible. Apuntamos directamente a los ojos del modelo y pulsamos a medias el botón del obturador. Esto hará que nuestra cámara realice un enfoque automático y una lectura de la luz. Luego, mientras tenemos pulsado a medias el botón, disminuimos el zoom, componemos la foto y pulsamos el botón completamente.

Puede llevarnos algún tiempo acostumbrarnos a la técnica de pulsar a medias el botón del obturador. Al principio, haremos fotos que no teníamos intención de hacer o soltaremos el botón inadvertidamente. No se rinda. Esta es la forma en que lo hacen los profesionales, así que debería poder acostumbrarse. Créame, una vez domine esto, sus fotos mejorarán mucho.

Una velocidad rápida congela el movimiento, lo que me ayudó a capturar la pasión en esta foto.

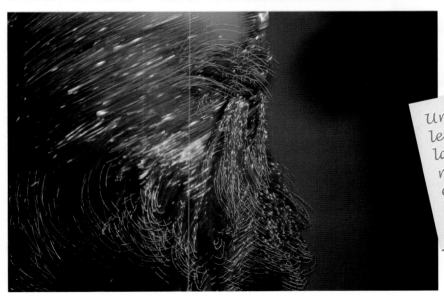

Una velocidad lenta puede dar la sensación de movimiento, como en esta foto de una bailarina de la danza del vientre.

La velocidad lenta hace que su mano aparezca un poco borrosa, y la foto se hace más dinámica.

Yo sugeriría una velocidad de obturación de, más o menos, 1/2000 de segundo para lo primero, y de 1/60 de segundo, para lo segundo, pero la única forma de estar seguros es experimentar.

Si está interesado en las velocidades de obturación para conseguir sus propósitos, sería una buena idea emplear el modo de prioridad de obturación en su cámara. Seleccione la velocidad de obturación deseada y deje que la cámara seleccione la apertura correspondiente. Si encuentra que la velocidad de obturación es demasiado rápida para la apertura máxima de su cámara, debería ajustar a una ISO superior (ISO 400-1600, por ejemplo). Veremos esto más adelante en este capítulo.

La apertura

La apertura es el segundo control principal a la hora de hacer fotos. Apertura viene de una palabra en latín que significa "apertura" o "hueco", y eso es lo que es en realidad. En el interior del objetivo de nuestra cámara encontramos un dispositivo llamado diafragma. Se trata de una serie de hojas de metal o de plástico que se entrecruzan de tal forma que crean un orificio de diámetro variable.

Velocidad del obturador

En pocas palabras, la velocidad del obturador indica el tiempo que permanece abierto el obturador de la cámara cuando hacemos una foto. Una velocidad de obturación rápida significa que el obturador está abierto poco tiempo, mientras que una velocidad de obturación lenta significa que el obturador está abierto por más tiempo.

No hay reglas fijas sobre cuándo debemos utilizar una velocidad de obturación lenta o rápida. Todo dependerá de las circunstancias. Cuando se fotografía a un ciclista que se mueve a toda velocidad, existen dos posibilidades: utilizar una velocidad de obturación muy rápida para *congelar* el movimiento, o bien una más lenta para trasladar al espectador la sensación de movimiento.

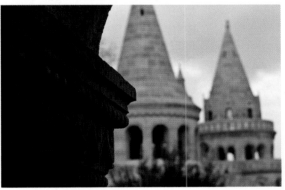

Tres aperturas diferentes, tres imágenes completamente distintas. Si queremos desenfocar el fondo de nuestros retratos, utilizaremos una apertura grande.

Compre un buen 50 mm

Esto se menciona varias veces a lo largo del libro, pero es que es un punto muy importante: es preciso adquirir un buen objetivo. No nos arrepentiremos de ello nunca. Un objetivo 50 mm f/1.8 es mucho más barato de lo que pensamos, hay modelos para la mayoría de las cámaras y es muy divertido.

La gran apertura es perfecta para retratos y fotografías a media luz, mientras que su bajo peso lo hace perfecto para viajar.

Con una escasa profundidad de campo, se consigue que el espectador se centre en lo que consideramos importante.

Una apertura grande, digamos f/2.8, deja pasar mucha luz, mientras que una más pequeña, por ejemplo f/8.0 o menor, deja pasar mucha menos luz. Esto es algo que podemos utilizar convenientemente. Si estamos haciendo fotos en un día de sol radiante, usaremos una apertura más pequeña, f/5.6 es una buena opción de base, para reducir la cantidad de luz que entra en la cámara. Como sabemos después de haber leído la sección previa, reducir la cantidad de luz significa que podemos utilizar una velocidad de obturación más lenta, y eso es perfecto para dar sensación de velocidad a las fotografías de acción.

Como habrá adivinado, lo contrario también es cierto. Si se usa una apertura mayor, pasa más cantidad de luz a la cámara y es posible utilizar velocidades de

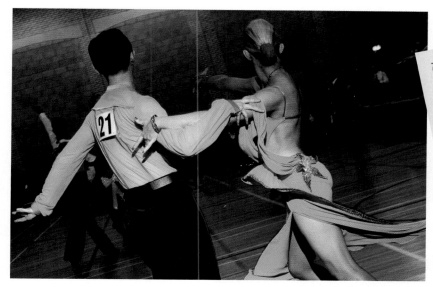

Usar una apertura grande permite distorsionar el fondo en esta fotografía de manera que el espectador se centre en los bailarines, y no en la sala.

obturación más rápidas. Si hemos llegado al límite de apertura que nuestro objetivo puede ofrecer, nuestra única opción es cambiar a otro diferente.

Apertura y efectos creativos

Recordemos que la velocidad de obturación tiene dos efectos. Una velocidad de obturación rápida deja pasar menos luz a la cámara, pero sirve para congelar el movimiento. Una velocidad de obturación más baja, de 1/60 o inferior, permite el paso de más luz y se puede utilizar para efectos como distorsión de movimiento.

La apertura, al igual que la velocidad de obturación, tiene efectos en nuestras fotos más allá de permitir que llegue una mayor o menor cantidad de luz al sensor de imagen. La apertura afecta a la profundidad de campo.

¿Qué es la profundidad de campo? No se preocupe, es mucho más sencillo de lo que parece. Pero mejor lo haremos con una fotografía como las de la página 48. Como se puede ver, algunas partes de esta foto están bien enfocadas mientras que otras no lo están en absoluto. Si solo una pequeña parte de la foto está

enfocada, decimos que la imagen tiene una *profundidad de campo plana*. Si toda la foto, o la mayoría de ella, está enfocada, decimos que la imagen tiene una *gran profundidad de campo*.

Podemos introducir la profundidad de campo ajustando la apertura. Una apertura grande, por ejemplo f/2.8, ofrece una profundidad de campo más plana que una apertura menor, tal como f/8. En los retratos, se puede emplear este efecto para aislar a los modelos del fondo, sobre todo cuando estemos haciendo fotos en lugares muy concurridos, como en la calle.

Una gran apertura (f/2.8) hace que se distorsione el fondo. Si hubiera querido enfocar a la gente, habría podido utilizar una apertura más pequeña, por ejemplo f/5.6.

Hay otras situaciones en las que deseamos enfocar el fondo, como en este caso, en el cual usamos f/16.

ISO, ¿cómo funciona?

Ya empezamos a entender la velocidad de obturación y las aperturas, pero nos queda otra variable en la gran ecuación para una exposición perfecta: la ISO.

La velocidad de obturación representa la cantidad de tiempo que permanece abierto el obturador. La apertura regula el tamaño del agujero que abre el diafragma del objetivo. Ambos parámetros restringen físicamente la cantidad de luz que llega al sensor de imagen. La ISO es ligeramente distinta porque ajusta la sensibilidad del sensor. Una exposición de 1/60 de segundo a f/4.0 es lo mismo físicamente con independencia de la ISO establecida para nuestra cámara.

La diferencia radica en que, a medida que elevamos la ISO, nuestra cámara *multiplica* la cantidad de luz medida por la misma. Así, una escena fotografiada a 400 ISO aparecerá el doble de brillante que la misma escena tomada a 200 ISO. A su vez, 800 ISO es el doble de brillante que 400 ISO, y 1600 ISO, el doble que 800 ISO.

La ISO tiene sus desventajas también, por descontado. Con valores elevados, empezaremos a ver gran cantidad de ruido digital en nuestras imágenes y se mostrarán un tanto borrosas.

En los entornos poco iluminados, disparar con ISO elevadas puede ser un salvavidas; en este caso, 1600 ISO.

Con las nuevas cámaras réflex digitales, no debemos tener miedo a disparar con ISO elevadas, puesto que, en algunas circunstancias, el ruido puede mejorar la foto. Esta, por ejemplo, se tomó con el increíble valor de 12.800 ISO.

ISO Y LA VELOCIDAD DE LA PELÍCULA

En los días de las películas fotográficas, podíamos seleccionar la *velocidad de la película*. La diferencia consistía en que una película de 400 ISO era considerablemente más sensible que una de 100 ISO. Así pues, si sabíamos que íbamos a hacer fotos con poca luz, podíamos ayudar a nuestra cámara poniéndole la película adecuada.

Obviamente, las cámaras réflex digitales no aceptan película, pero tienen una configuración ISO que equivale a cambiar la película de una cámara convencional. La buena noticia es que no debemos esperar a que se acabe la película para cambiarla. Si queremos, podremos modificar la ISO entre dos fotografías.

Pros y contras de utilizar ISO

Hay una desventaja al utilizar una ISO elevada: las fotos se ven mucho más afectadas por el ruido digital. En algunos casos, esto no tiene mucha importancia, pero a menudo perderemos definición de color y nitidez en cierta medida.

Esta pertenece a una sesión de desnudo que hicimos hace un tiempo. En un principio, no era capaz de conseguir que la foto tuviera el impacto que deseaba. Sin embargo, con una apertura muy grande (f/1.4) y una ISO elevada (1600) fui capaz de añadir toda la mística necesaria a la foto.

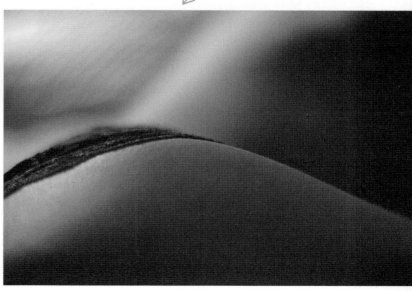

Con una ISO de 1600, fui capaz de utilizar una velocidad de 1/200 de segundo y una exposición de f/2.8 para esta foto. Perfecto para congelar el movimiento.

Personalmente, no me parece importante, pero significa que las fotos con ISO elevadas tienden a verse mejor en blanco y negro que en color.

Como regla general, se debe optar por la ISO más baja que sea posible. En la práctica, esto significa que si estamos disparando con una ISO 400, f/4 y a 1/1000 de segundo como velocidad de obturación, deberíamos considerar hacer la foto con una ISO de 100, f/4 y a 1/250 de segundo, en su lugar.

Obturador, apertura e ISO: una visión de conjunto

Como probablemente haya caído en la cuenta, no hay configuraciones correctas o erróneas cuando se trata de obtener la exposición adecuada.

Un ejercicio de puntos medios: f/2.5, 1/200 e ISO 200 consiguió una foto que funciona bien en general.

El desafío consiste en dar con el equilibrio correcto entre velocidad de obturación, apertura e ISO.

El *equilibrio correcto* es una fina línea entre las consideraciones técnicas y las motivaciones artísticas. Es decir, entre la cantidad objetiva de luz necesaria para obtener una exposición adecuada y la preocupación por mostrar distorsión de movimiento o congelarlo, por usar una gran profundidad de campo o una más plana y por permitir mucho o poco ruido digital.

Conviene destacar que, a lo largo de este libro, estamos empleando configuraciones extremas para ilustrar determinados puntos. Por ejemplo, se incluyen fotos tanto a f/1.4 como a f/16 para ilustrar la diferencia entre una profundidad de campo extremadamente plana o muy profunda. Sin embargo, en el mundo real, siempre se elige lo que mejor vaya a funcionar en cada caso.

Cómo seleccionar el objetivo adecuado

Se han dicho ya muchas cosas sobre cuál es el objetivo "perfecto" para hacer retratos. Muchos juran que un 50 mm, otros que uno de 100 mm es mejor. Incluso conozco fotógrafos que prefieren hacer retratos con un gran angular.

El ojo humano tiene un campo de visión parecido al de un objetivo de 50 mm. Por lo tanto, los retratos hechos en torno a esa distancia focal suelen resultar bastante naturales. Un punto muy importante, sin embargo, es que la gente suele aparecer mejor cuando se la ve a través de objetivos más largos. Inténtelo usted mismo. Tome su teleobjetivo, retírese unos pasos y haga una foto a uno de sus amigos. Luego, compárela con otra hecha con un gran angular y vea cuál prefiere.

Nada es imposible, sin embargo. Esta foto, sin ir más lejos, se hizo con un gran angular de 17-35 mm.

Además de resultar más favorecedoras, otra ventaja de los teleobjetivos es que, cuando disparamos con la máxima apertura, obtenemos una profundidad de campo más limitada y son capaces de desenfocar los fondos agradablemente.

Recuerde siempre que retratar gente consiste tanto en interaccionar con las personas como en manejar bien los equipos y las técnicas.

Dicho esto, y porque estoy seguro de que se lo está preguntando, mi objetivo preferido para retratar en la actualidad es un Canon 50 mm f/1.4, con mi Sigma 70-200 f/2.8 en un cercano segundo lugar.

Disparar con una gran distancia focal, 200 mm en este caso, a menudo es más favorecedor que con un gran angular.

Equilibrio de blancos

Podría escribir un libro entero sobre el equilibrio de blancos, rellenando página tras página con detalles técnicos sobre cómo realizarlo de la forma más perfecta posible en cada caso, así como sobre la mejor forma de equilibrar la luz natural con la artificial, cómo se relaciona la temperatura de color con los diferentes espectros, etc.

No obstante, se sentirá satisfecho al saber que no voy a perder demasiado tiempo con ese tema. En lo que tiene que ver con los retratos, hay una forma increíblemente rápida de hacerlo

Si no acertamos con el equilibrio de blancos, nuestras fotos quedarán, o bien muy azuladas (frías), o bien muy rojizas (cálidas). Si disparamos en formato RAW, este problema será fácil de resolver en nuestro ordenador.

No se preocupe por el equilibrio de blancos por el momento, lo trataremos en detalle en el capítulo 7.

bien: disparar en RAW. Cuando configuramos nuestra cámara para que almacene las fotos en formato RAW, y no, por ejemplo, en JPG o TIFF, almacenará toda la información que capture. Esto significa que podemos dejar la preocupación por el equilibrio de blancos para más tarde, cuando estemos ante la pantalla del ordenador. Nueve veces de cada diez, esta es la forma más fácil de lograr el adecuado equilibrio de blancos.

Si quiere hacerse un favor a sí mismo, asegúrese de llevar consigo una tarjeta de *gris neutro*, que se puede comprar por unos pocos euros en cualquier tienda de fotografía. Tome una foto de la tarjeta siempre que cambie la iluminación y podrá usarla como referencia a la hora de editar las fotos. En la práctica, esto significa que pasará algún tiempo experimentando con esta foto y, luego, simplemente tendrá que replicar los ajustes en el resto de las fotos durante la postproducción. Esto le ayudará a ahorrar un montón de tiempo.

Cuando se usa de forma creativa, se pueden hacer retratos más cercanos utilizando un equilibrio de blancos ligeramente más cálido.

Fotografiar en RAW

Ya lo hemos mencionado un par de veces, pero para las cosas buenas nunca es suficiente. Tome su cámara ahora mismo y configure el formato de archivo en RAW, y ¡no lo vuelva a tocar!

Para entender por qué, tendremos que echar un vistazo al funcionamiento de nuestra cámara. Cuando toma una imagen, capta una gran cantidad de datos en bruto. Todos y cada uno de los diminutos sensores de su interior, si, por ejemplo, tenemos una cámara de 14 megapíxeles, serán

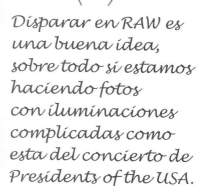

Disparar en RAW es una buena idea, sobre todo si estamos haciendo fotos con iluminaciones complicadas como esta del concierto de Presidents of the USA.

Si no hubiera fotografiado este concierto de Limp Bizkit en RAW, no habría obtenido ni una sola foto aprovechable, sin duda.

14 millones, nada menos, ha realizado una medida.

Lo que ocurre después dependerá de los ajustes de cada cámara. Si está configurada para JPG, escribirá toda esta información en un solo archivo de 8 bits. El problema con esto es que la cámara tiene que tomar unas cuantas decisiones para llevarlo a cabo. Nitidez, saturación de color y equilibrio de blancos se calculan y escriben automáticamente en el archivo, pero, cuando esto sucede, estamos, en efecto, perdiendo gran cantidad de información. Si la cámara lo hace bien, eso no es ningún problema, pero si, más tarde, decidimos que queríamos haber empleado menos nitidez, un nivel de saturación de color diferente u otro equilibrio de blancos, ¡mala suerte! Los datos que antes estaban disponibles se han descartado, y todo lo que tenemos es lo que se guardó en el archivo JPG.

Por contra, un archivo RAW suele almacenar mucha más información de color, entre 12 y 24 bits, y contiene todos los datos grabados originalmente por la cámara. Esto significa que, cuando nos pongamos frente al ordenador, contaremos con muchísima más información que podremos manipular. Y eso siempre es bueno.

La composición. ¿Cómo lograr que la gente salga favorecida?

Hasta el momento, hemos hablado un montón sobre aspectos básicos de la fotografía, pero en realidad no hemos visto nada de verdad importante. Afrontémoslo: ha comprado este libro porque quiere hacer retratos maravillosos. Es su día de suerte, aquí empieza la diversión.

Fotografiar a la gente es una de las cosas más excitantes que se pueden hacer.

Cada persona es única, y la tarea de capturar un fragmento de su personalidad es un desafío emocionante para cualquier fotógrafo, sin importar lo experto que sea.

No obstante, apuntar la cámara hacia alguien, decirle "¡sonríe!" y disparar no va a llevarnos demasiado lejos. Es necesario conectar con la gente para mostrar su mejor cara.

No hay reglas fijas ni instrucciones para hacer buenas fotos siempre...

Que la gente se vea bien en las fotos no es cuestión de magia, sino de prestar atención a que todos los detalles funcionen a la vez de forma elegante. En nuestras fotos, la gente debe tener buen aspecto, el fondo tiene que ser de buen gusto y que la foto transmita la sensación de funcionar bien globalmente.

En último término, ya lo dijo Ansel Adams: no hay reglas para las buenas fotos, solo buenas fotos. Todos debemos desarrollar nuestro instinto y seguirlo. Las buenas fotos llegarán con la práctica.

Los ojos lo dicen todo

Lo primero que hay que saber para retratar a la gente es que sus ojos siempre deben estar bien enfocados. Esto es absolutamente, completamente innegociable. Si tienen los ojos abiertos, hay que enfocarlos. Si los tienen cerrados, hay que enfocarlos. ¿Que el modelo lleva gafas de sol? Pues hay que enfocarlas, sin duda. Lo vamos pillando...: hay que enfocar bien los ojos, y todo lo demás encajará en su lugar.

Obtenga los ojos bien enfocados. Al final, el resto encajará en su lugar.

El enfoque y la composición de los retratos

Bien, si los ojos son tan increíblemente importantes, ¿cómo podemos asegurarnos de enfocarlos bien? Hacer una foto es un proceso con múltiples pasos. Lo primero de todo es comprobar los ajustes de la cámara. ¿Está configurado el formato de archivo adecuado? ¿Estamos en el modo de enfoque automático correcto? ¿Tiene la cámara activo el modo de imagen adecuado para el entorno en que pensamos usarla? ¿Tiene una ISO correcta?

Después llega el turno de la exposición. Si estamos disparando en modo de programación, en prioridad de apertura o en prioridad de obturación, debemos asegurarnos de no haber cambiado el sesgo de la exposición. Si nos hemos aventurado en el modo de exposición manual, debemos comprobar que hayamos introducido un valor útil para la misma. Y si estamos en un modo completamente automático, deberíamos ir al capítulo 3, donde se trata lo básico, y avergonzarnos a nosotros mismos.

La razón para enfocar los ojos es muy sencilla: sea como sea la foto, ahí es donde queremos que la gente mire. En un buen retrato, los ojos son una ventana al alma del modelo, y, si queremos conmover a la gente con nuestras fotos, debemos lograr esa conexión.

Desde el principio, mientras aprendemos a mejorar nuestros retratos, debemos concentrarnos al 100% en enfocar los ojos correctamente. Créame: al final, todo encajará en su lugar.

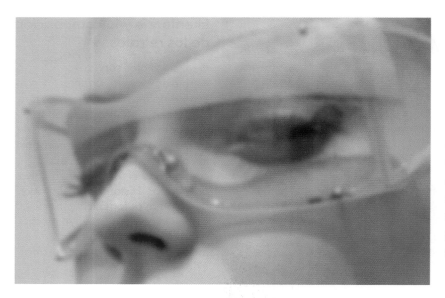

Los pasos finales son enfocar y componer la imagen.

1

El primer paso para enfocar correctamente consiste en ampliar todo lo posible los ojos del modelo. Esto ayudará al sistema de enfoque automático de la cámara a conseguir el enfoque correcto y reducirá el riesgo de que la cámara enfoque algo que no es. Obviamente, si usamos un objetivo sin zoom, este paso no es necesario.

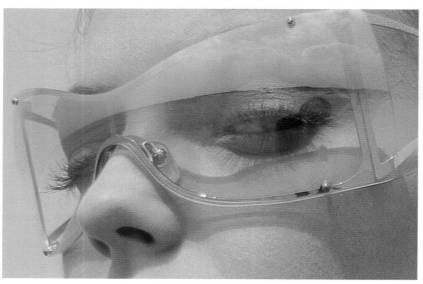

2

Luego, apretamos a medias el botón del obturador y el objetivo tratará de enfocarse automáticamente. Como hemos ampliado la imagen todo lo posible, veremos con toda claridad cuándo el modelo está enfocado correctamente. Si, por algún motivo, el objetivo no enfocase bien, liberaríamos el botón del obturador y, luego, lo volveríamos a pulsar a medias, como antes.

3

Cuando el modelo esté enfocado, y mientras mantenemos el obturador pulsado a medias, abrimos el zoom para componer la imagen. No hay prisa, tómese su tiempo.

4

Cuando estamos satisfechos de la apariencia de la imagen a través del visor, no tenemos más que apretar el botón del obturador completamente y hacer la foto.

Cómo hacer que se sientan a gusto los modelos

Ya la primera vez que hacemos una foto con alguien que no esté acostumbrado a posar, nos damos cuenta de que dirigirlo es decepcionantemente difícil. A veces, resulta muy complicado verbalizar las imágenes que tenemos en la mente, y eso no es más que la mitad del trabajo. El verdadero problema reside en que la gente suele ponerse muy tensa cuando se enfrenta a una cámara. Algunos modelos son mejores que otros, pero los hay que nunca se acostumbran a la tensión que supone mirar directamente a un objetivo. Conozco al menos una modelo profesional, relativamente famosa, que se bebe media botella de vino antes de cada sesión.

No obstante, hay cosas que podemos hacer para que nuestros modelos se sientan a gusto. Si no están acostumbrados a estar ante una cámara o se sienten nerviosos, lo más recomendable suele ser darles menos instrucciones, no más, para empezar. Si nos encontramos en un estudio, ya estamos en un lugar ajeno para ellos, pero, aun en entornos más naturales, el estrés de estar ante una cámara

Una sesión fotográfica debería ser divertida.

puede incomodar a la gente. Créame: si sus modelos no están a gusto, las fotos no serán buenas.

Cuando empecé a retratar gente, me preocupaba la posibilidad de "hacerlo mal" y, así, dedicaba mucho tiempo a comprobar una y otra vez mis cámaras, flashes, etc. De ese modo, conseguí que

las fotos fueran correctas desde el punto de vista técnico, pero, en retrospectiva, sé que ninguna de ellas era realmente buena. ¿Por qué? Muy sencillo: no supe conectar con mis modelos porque no pasaba el tiempo suficiente comunicándome con ellos.

Para asegurarnos de conectar adecuadamente con los modelos, debemos asegurarnos de pasar el tiempo que haga falta hablando con ellos. Hay que ser uno mismo, explicar bien lo que pretendemos lograr en la sesión fotográfica y pedirles que aporten sus propias ideas. El objetivo es averiguar cosas sobre los modelos, tales como si tienen aficiones o alguna pasión por algo, que se pueda incorporar a la sesión. Cualquier cosa que podamos hacer para romper el hielo significará una enorme diferencia en los resultados finales.

Trabajar con modelos profesionales facilita la labor de dirección, pero no hay porqué renunciar a los aficionados tan deprisa.

No podemos forzar la relajación de la gente, pero sí podemos facilitarla. Un ejercicio que merece la pena intentar consiste en hacerlos ponerse de puntillas durante unos 20 segundos y, luego, dejarlos posar los talones normalmente. Les sugeriremos que piensen que son árboles, con raíces profundas, que imaginen que ya nunca irán a ninguna parte. Podemos animarlos a que imaginen que unas raíces les crecen de los pies y se hunden profundamente en la tierra sobre la

que están de pie. Para la mayoría de la gente, este ejercicio de "echar raíces" funciona muy bien. Casi siempre, sin embargo, todo el mundo en la habitación se siente tan ridículo que las carcajadas lo invaden todo en poco tiempo. Perfecto, entonces: sea como sea, ganamos todos. Todo el mundo se relaja y listo para hacer fotos.

La dirección de los modelos

Aprender a dirigir a la gente verbalmente puede resultar un

Una sesión fotográfica rara vez debería transcurrir en silencio. Es bueno poner un poco de música, bailar si queremos, y eso vale tanto para el modelo como para el fotógrafo, hablar por los codos y pasarlo bien.

En cuanto a los posados propiamente dichos, una cosa que podemos hacer desde ya es construir un archivo de plantillas. Para ello, en cuanto veamos una foto que nos guste en Internet, la imprimiremos. ¿Que vemos una pose novedosa o una nueva idea de iluminación en una revista? La recortaremos. ¿Que nos encontramos con un póster interesante? Pues le sacamos una foto, con el móvil, por ejemplo, y la imprimimos. Luego, siempre que tengamos una sesión de fotos, nos los llevaremos todos juntos en una carpeta. De este modo, no solo podremos señalar ejemplos específicos de lo que deseamos hacer, sino que podemos preguntar a los modelos qué les gusta o disgusta más. Compartir una buena idea podría ser todo lo necesario para que la sesión de fotos fuera un éxito.

Los reflejos en los ojos

¿Recuerda lo que dijimos sobre la importancia de los ojos? Todo

desafío, pero existe un truco sencillo que podemos utilizar para que todo sea más fácil: mostrar las cosas, no decirlas. Es mucho más fácil decir "¡haga esto!" y hacerlo nosotros antes, que tratar de describirlo con palabras. Puede que nos sintamos un poco ridículos, pero eso está bien. Después de todo, ¿por qué deberían ser nuestros modelos los únicos que pasaran vergüenza? Mejor aún: si fotógrafo y modelo acaban riendo, habrán superado buena parte de la tensión.

No hay que tener miedo a hacer un poco el tonto y, lo que es más importante, hay que intentar pasarlo bien. Me he dado cuenta de que la calidad de una sesión fotográfica es directamente proporcional a la cantidad de buen humor que haya en el estudio. Las sesiones de moda, en particular, cuando la gente está ansiosa, o nerviosa, o preocupada por el resultado, son muy difíciles de llevar a buen puerto para conseguir las fotos deseadas.

eso es cierto, claro, pero los ojos tienen, además, que ser vivaces y comprometidos. Podríamos no habernos dado cuenta de esto de forma consciente, pero, si nos fijamos, descubriremos que muchos buenos retratos muestran reflejos en los ojos de los modelos. Ya

Los reflejos en los ojos: no cuestan mucho, pero suponen una gran diferencia.

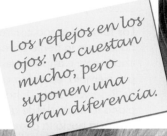

sean estos del flash, del sol o de cualquier otra fuente luminosa.

Estos reflejos en los ojos se conocen como *catchlights* y, aunque son relativamente sutiles, marcan la diferencia enormemente en cómo la gente percibe los retratos. Sin *catchlights*, los retratos pueden parecer sosos y sin vida.

Obviamente, hay muchas situaciones en las que los reflejos en los ojos no ocurrirían de forma natural en una fotografía. Por suerte, somos unos fotógrafos con recursos y seremos capaces de añadirlos. Aun cuando tuviésemos luz de sobra, podríamos añadir

los reflejos en los ojos de nuestro modelo con solo encender una luz cerca de él o ella.

Si prefiere utilizar un flash para añadir los *catchlights*, lo mejor es usar el incorporado en la cámara. Pero si tenemos uno externo, podemos usarlo también. Con los parámetros de sesgo de exposición con flash, configuraremos el flash para una salida con la menor cantidad de luz posible. ¡Listo! Ya tenemos un retrato con unos ojos adorables y brillantes, sin ningún problema.

Si la sesión de fotos es en exteriores y encontramos que nuestras fotos carecen de chispa, podríamos añadir un reflector al montaje de iluminación. Reflejar la luz del sol en la cara de nuestro modelo puede infundirle vitalidad de una forma tan fácil como añadir los *catchlights* de cualquier otra forma.

El plano contrapicado

Seguramente haya empezado a desarrollar una especie de sexto sentido para saber cómo lograr que sus modelos salgan bien. Y,

sin embargo, hasta ahora hemos hecho todas las fotos de forma bastante lineal. Es algo muy común porque, como seres humanos, estamos acostumbrados a mirar a la gente directamente a los ojos, más o menos en línea. Sin embargo, podemos lograr efectos espectaculares si adoptamos un enfoque inusual en nuestras fotos. Hacerlo es muy sencillo: planos picados y contrapicados.

Las fotos en plano contrapicado hacen que la gente parezca imponente e importante. Pensemos, por ejemplo, en la famosa escena de Reservoir Dogs donde, en un plano tomado desde abajo, todos avanzan hacia la cámara.

Una cosa que hay que tener presente es, sin embargo, que resulta muy difícil hacer que la gente se vea bien desde abajo. Si la persona que estamos retratando mira hacia abajo, hasta la más delgada enseñará doble barbilla, lo que no es muy favorecedor. Con un plano contrapicado, perseguimos retratar la actitud, así que en realidad no importa que el modelo no mire directamente a la cámara. Potencie la arrogancia y el descaro y acabará con una foto fantástica.

Los planos contrapicados funcionan igual de bien con niños. Los niños son fotogénicos, pero estamos acostumbrados a verlos desde arriba a causa de su baja estatura. Si bajamos a su nivel, o incluso más abajo si no nos importa tirarnos al suelo, veremos una perspectiva bien distinta de la usual que nos brindará la posibilidad de hacer fotos adorables y novedosas.

El plano picado

Hacer un retrato desde arriba suele funcionar bien. Se obtiene una connotación de cierta sumisión y, tal vez, una sensación insinuante en la foto. No en vano, los ubicuos autorretratos de MySpace se hacen sosteniendo una cámara en alto y apuntándola hacia nosotros mismos. Esto hace que la gente parezca más delgada y atractiva.

Hay que situarse ligeramente por encima de los modelos, no importa cómo: una silla, una escalera de mano o un cajón, da igual. Hacer las fotos desde arriba puede significar una gran diferencia en cuanto a cómo se perciben estas por el espectador.

Cuando usamos esta técnica, puede ser bueno utilizar un objetivo gran angular para un efecto dramático extra. Debido al funcionamiento del gran angular, la cabeza aparece significativamente más grande que el cuerpo, lo que crea un efecto cómico. Por otro lado, si nos alejamos un poco de nuestro modelo, el hecho es que sus pies se mostrarán tan pequeños que nuestro modelo parecerá mucho más alto.

Reglas de composición

Dicho simplemente, la composición es el arte de decidir qué saldrá en nuestra foto y cómo estará colocado. Se puede influir en la composición de una fotografía de muchas formas, como utilizando un teleobjetivo para atrapar algún detalle o un gran angular para adoptar una perspectiva más amplia. Podemos mover nuestros modelos y movernos nosotros con la cámara. Todas estas cosas suponen una diferencia sobre cómo se verá nuestra foto, y debemos tomarlo todo en consideración durante el proceso de capturar la imagen.

Se han escrito libros enteros acerca de la composición, y justo cuando uno se cree que lo sabe todo, sale un fotógrafo en alguna parte y hace cosas en las que nadie había pensado. Es imposible enseñar todo lo que hay que saber sobre composición en unas pocas páginas, aunque sí se pueden compartir unos consejos.

No perder de vista el fondo

No deja de asombrarme la cantidad de aspirantes a fotógrafo que, cuando empiezan a hacerse con las cosas, prestan poca atención a los fondos de sus fotos.

Un fondo descuidado puede llegar a distraer al espectador.

Es fácil de hacer. Para cuando hayamos repasado la lista de todas las cosas en las que tenemos que pensar, el fondo estará muy abajo, pero cuando se trata de conseguir buenas fotos, merece la pena no perder de vista lo que ocurre en el fondo. Cuanto más limpio y menos molesto resulte un fondo, más gente reparará en el motivo principal de la fotografía, lo que ciertamente es muy bueno cuando se trata de un retrato.

Hay varias formas de asegurarse de que los fondos se vean mejor.

1 Mover el modelo: si es posible, pida a sus modelos que se alejen de un fondo descuidado y se sitúen ante uno más plano. La diferencia será enorme.

2

Movernos nosotros mismos: si no podemos mover el modelo, deberíamos movernos nosotros a derecha o izquierda. De este modo, cambiaremos nuestra perspectiva y sacaremos de la imagen cualquier elemento perturbador.

3

Disparar con una gran apertura: si disparamos con un objetivo largo, por ejemplo 100 mm de distancia focal, y una apertura decente, digamos f/2.8, es posible desenfocar el fondo con facilidad. Un fondo borroso ayuda a que el espectador se concentre en nuestro motivo principal. Combine este punto con los pasos 1 y 2 para un efecto aún mejor.

4

Oscurecer el fondo: para un efecto adicional, podemos, o bien oscurecer el fondo bloqueando la luz que, de otro modo, le alcanzaría, o bien dar más luz al modelo. La diferencia en brillo y contraste se nota mucho en la percepción que del fondo tiene el espectador.

La regla de los tercios

La regla de los tercios es, posiblemente, una de las más aplicadas de la fotografía. ¿Por qué? Pues porque funciona muy bien. La idea es ubicar las partes fundamentales de nuestra fotografía a lo largo de una trisección imaginaria de la misma. Por alguna razón, el cerebro humano percibe las fotos compuestas de acuerdo con la regla de los tercios de forma más positiva que las que se hacen al estilo "bull's-eye", o rectas.

Quiero compartir un secreto: por lo general, aunque suelo respetar la regla de los tercios y otras recomendaciones de composición, en la mayoría de los casos, me concentro en los aspectos técnicos de la fotografía, tales como una iluminación difícil o qué hacer cuando una escena cambia rápidamente. Es importante enfocar bien el modelo y hacer la exposición correcta. En lo que respecta a la composición, siempre es posible recortar las fotos más tarde; que es lo que yo hago, precisamente, si es necesario.

Recientemente, fotografié la London World Naked Bike Ride y, con tanta gente alrededor con sus bicicletas, no tuve mucho tiempo para pensar en la composición. No obstante, es bueno tenerlo presente para recomponer la imagen digitalmente más adelante.

1

Cuando se está bajo presión, hay que concentrarse en una sola cosa: hacer la foto. Si podemos pensar en la composición mientras hacemos la foto, mejor, pero si no hacemos bien la exposición, todo estará mal.

2

Una vez hayamos hecho las fotos, podremos considerar recortarlas digitalmente. En esta imagen, utilicé la regla de los tercios para determinar cómo hacer el recorte. Asimismo, la giré un poco para dar sensación de velocidad y dinamismo a la fotografía.

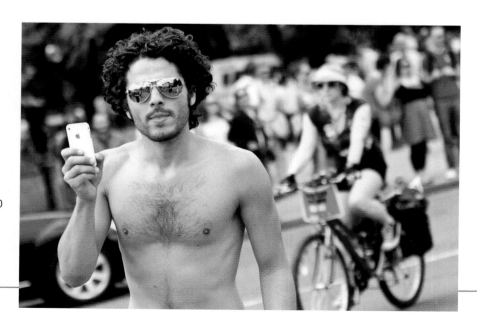

3

Si superponemos las líneas de la regla de los tercios sobre la fotografía, veremos que se ajustan bastante al resultado final. La cara del modelo y su cuerpo encajan perfectamente en el tercio superior izquierdo, y la ciclista del fondo encaja, más o menos, en el tercio superior derecho. ¡Estupendo!

Líneas de fuga

Aparte de la regla de los tercios, podemos utilizar el principio de las líneas de fuga para añadir impacto a nuestras fotografías. La idea aquí es utilizar indicaciones visuales para guiar la vista del espectador a una zona concreta de la foto. En efecto, lo que hacemos es utilizar parte de la imagen como una gigantesca flecha roja que señale lo que deseamos que mire el espectador. Una línea de fuga bien utilizada hará que una parte de la foto sea casi magnética; imposible no mirarla. Cuando el espectador pase sus ojos sobre ella, siempre acabará en el mismo sitio.

No es difícil emplear líneas de fuga, pero debemos encontrar las mejores en primer lugar. Carreteras, vías de tren, árboles e incluso grupos de personas se pueden utilizar con gran efectividad.

Espacio negativo para un impacto positivo

Mano a mano con la regla de los tercios, encontramos la idea de espacio negativo, que hace referencia al espacio que no es nuestro motivo principal. Usada con cuidado, esta "carencia de todo" se puede utilizar no solo para llamar la atención hacia las personas de nuestras fotos, sino para dejar "espacio para respirar"

Si las líneas de fuga nos llevan en una dirección errónea, podríamos llegar a no ver siquiera a la persona retratada.

La línea de fuga en esta foto es el instrumento musical que la persona está tocando; prácticamente, fuerza a nuestros ojos hacía su cara.

en las imágenes. Aun cuando se trate de fotos con mucho zoom, dejarles algo de espacio puede darles sensación de vitalidad.

Añadir espacio negativo es fácil, basta con disminuir un poco el nivel de zoom. Como resultado, obtendremos mucho espacio en el cuadro, que no es nuestro motivo principal. Es recomendable vigilar para ver si este espacio extra realmente es positivo para nuestra foto. Los efectos verdaderamente buenos del espacio negativo vienen de la interrelación de varios modelos en nuestra foto. Después de todo, no tiene sentido utilizar el valioso espacio de la imagen si no es para obtener algún beneficio.

El espacio negativo puede mejorar las relaciones entre la gente y las cosas en una escena. Su uso dependerá de nuestro estilo de fotografiar y de nuestras preferencias personales. Algunos fotógrafos utilizan el espacio negativo con resultados impresionantes. Si queremos contarnos entre ellos, deberíamos probar dicha técnica.

Qué normas es preciso saltarse

Hemos presentado muchos trucos prácticos en este capítulo, pero

ninguno de ellos es una ley fija. Es una buena idea, no obstante, intentar adherirnos a las reglas esbozadas en este capítulo, al menos por un tiempo. De este modo, aprenderemos las ventajas de cada una de ellas, por qué existe y cómo nos ayuda a hacer mejores fotos.

Después de eso, una vez nos hayamos hecho con las reglas básicas para hacer buenos retratos, lo más probable es que queramos empezar a saltárnoslas. Somos fotógrafos, no inspectores de hacienda. Como fotógrafos, somos rebeldes, contestatarios y nos gusta saltarnos las normas. Tengamos presente cómo hacer las mejores fotos: para ello, hay que conocer las "reglas" a fondo y, luego, tomar la decisión consciente de romperlas con el fin de lograr un efecto particular y nuestro estilo personal.

Aun cuando estemos siguiendo nuestro instinto fotográfico, conviene ser capaces de defender nuestras opciones. ¿Por qué usamos una ISO 400 en vez de una 200? ¿Por qué hemos decidido enfocar algo diferente de los ojos del modelo? ¿Por qué decidimos ignorar la regla de los tercios en una foto particular? No es preciso defender nuestras opciones ante nadie, pero deberíamos

ser capaces de sentarnos ante una fotografía nuestra y revisar mentalmente todas las decisiones tomadas.

Si no podemos defender nuestras propias opciones, lo más probable es que haya elementos en nuestra foto que no habíamos considerado. Eso no es un problema si contamos con una foto sorprendente, pero hay que tener siempre presente que los mejores fotógrafos no dejan nada al azar. Pensando, planificando y analizando hasta el último detalle, lograremos desarrollar nuestro propio instinto fotográfico más rápido de lo que podemos suponer.

La creatividad

LOS PRIMEROS CAPÍTULOS de este libro se han centrado en los aspectos básicos del retrato. Ya es hora de empezar con la parte divertida: cómo hacer que la gente luzca espléndida añadiendo unos toques de creatividad a la mezcla.

La fotografía constituye un enfoque increíblemente flexible para crear pequeñas obras de arte. Realizar un retrato que diga algo al espectador conlleva mucho más que apuntar a alguien con una cámara y apretar el botón. Es extremadamente raro conseguir fotografías estupendas por pura suerte, lo normal es tener que pelear por ellas. Por fortuna, existen una serie de técnicas que podemos probar y que deberían mejorar mucho nuestras fotografías.

Sin más preámbulos, veamos una magnífica selección de trucos y consejos que podremos utilizar para llevar nuestros retratos por el mejor camino.

Pasar de un retrato a un retrato asombroso

Más que con cualquier otra cosa, la fotografía tiene que ver con atrapar la luz. Tiene sentido, por tanto, que seamos capaces de hacer mejores fotos si conocemos con precisión cómo se comportará la luz.

La luz presenta diferentes características, distintas intensidades, direcciones y colores, y todas ellas tienen un impacto en la apariencia de nuestras fotos. No es difícil empezar a experimentar y aprender a hacer fotos fantásticas durante el proceso.

Retratos con iluminación de elevada tonalidad

En el capítulo anterior, repasamos varias formas de hacer que las fotos se vean diferentes, incluyendo formas de recortar las imágenes. Sin embargo, ciertas opciones de estilo van más allá de eso. Tanto los ajustes de la cámara como lo que deseemos fotografiar tienen influencia en nuestras fotos, lógicamente, pero las opciones a nuestra disposición no acaban ahí.

Hay dos técnicas poderosas que podemos usar para despertar emociones con nuestras fotos: la iluminación de elevada tonalidad y la de baja tonalidad.

Con la iluminación de elevada tonalidad, lo que se busca es crear una atmósfera abierta y luminosa mediante contrastes bajos y tonos brillantes. De este modo, la connotación es de alegría, belleza y optimismo.

El mayor desafío para la fotografía en general, y para los retratos en particular, de trabajar con elevada tonalidad consiste en iluminar bien. Aunque serviría de ayuda, no es necesario utilizar equipos de iluminación de estudio muy caros. Basta con asegurarnos de que la luz es suave y uniforme y de que la fotografía es luminosa y brillante sin sobreexponerla.

La idea es que aparezcan menos sombras duras de las que normalmente serían de esperar, con el fin de lograr la sensación etérea que estamos buscando. Podemos hacer esto si nos aseguramos de que la luz venga de todas las direcciones. Un reflector puede resultar útil; lo utilizaremos para devolver la luz hacia el modelo. También podríamos utilizar un difusor entre el modelo y la fuente de luz para asegurarnos de que esta será suave.

Los retratos con iluminación de elevada tonalidad dan una sensación de claridad y ligereza.

Retratos con iluminación de baja tonalidad

Ahora que estamos familiarizados con la fotografía de elevada tonalidad, no nos sorprenderá que la iluminación de baja tonalidad sea justo lo contrario.

En una palabra, la fotografía de baja tonalidad es "sentimental". En este caso, perseguimos sentimientos de melancolía y oscuridad. De hecho, cuantas más partes de la foto sean oscuras, mejor. Lo que realmente buscamos es sugerir una forma. En algunas de las mejores fotografías de baja tonalidad solo se aprecia el contorno más simple de nuestro modelo. Como muy probablemente haya pensado ya, el espacio negativo es de la mayor importancia aquí.

Existen numerosas formas de configurar la iluminación para obtener atractivas fotos de baja tonalidad, pero la más simple consiste en preparar las luces específicamente para este tipo de fotos, disparar en una habitación oscura y utilizar una sola fuente de luz lateral. Debemos asegurarnos de *dar forma* a la luz (con un par de cartulinas será suficiente) para evitar que llegue al fondo o que ilumine cualquier cosa que no queramos mostrar.

En la fotografía de baja tonalidad, menos es más.

Es posible obtener fotos de baja tonalidad sin jugar con la luz, pero siempre vamos a necesitar una sola fuente de luz muy potente, y que no haya muchas más iluminando la escena. La brillante luz del sol podría servir. Aunque resulte sorprendente, se puede utilizar la luz del sol para obtener magníficas fotografías en baja tonalidad. El truco consiste en asegurarnos de que nuestro modelo esté al sol, mientras que todo el fondo permanece en la sombra. A causa de la diferencia en iluminación entre el fondo y el primer plano, aquel se verá mucho más oscuro. Si elevamos un poco el contraste durante la postproducción, podemos conseguir que nuestras fotos destaquen como imágenes en baja tonalidad.

La iluminación del fondo

La mayoría de las veces, cuando trabajamos en un retrato, deseamos que nuestros modelos estén bien iluminados. Ahora bien, está claro que cierta variedad es buena para el alma y que realmente es una buena idea investigar alternativas para la iluminación que den vida a nuestro portfolio.

Una forma de cambiar las cosas consiste en hacer justo lo contrario

de lo que hacemos normalmente. Y eso incluye retratar gente que no mire a la cámara, recortar la mitad de su cara y hacer todo tipo de experimentos con la luz. Normalmente, se ilumina a la gente desde delante, pero también se pueden obtener resultados extraordinarios iluminándola desde atrás. Sí, eso implica que estaremos fotografiando de cara a la luz, y esto suele ser un desafío muy interesante la mayoría de las veces, pero la silueta de una persona es muy sugerente, además de conseguir muchos otros efectos.

Para obtener buenas siluetas, lo más fácil suele ser asegurarse de contar con una gran superficie iluminada uniformemente. Orientar un flash o una lámpara hacia una pared blanca y hacer que nuestro modelo se sitúe frente a ella es una buena forma de lograr este efecto. La tristemente célebre fotografía "persona ante la puesta de sol" también funciona por la misma razón. Durante la puesta de sol, el horizonte toma un color adorablemente uniforme que permite que nuestra silueta se destaque con claridad.

El mayor desafío a la hora de obtener las fotos iluminadas por detrás del modelo es que se debe exponer para el fondo. Eso significa

que seguramente tendremos que utilizar los ajustes manuales de la cámara para asegurarnos de que el fondo está correctamente expuesto. Como se puede imaginar, un fondo bien iluminado y correctamente expuesto, junto con un primer plano sin iluminar, dan como resultado que este aparezca oscuro, que es el efecto buscado.

Una vez que tenemos correctamente dispuesta la exposición, hay que extremar la atención al enfoque. Como nuestro objetivo es una silueta clara y atractiva, debemos asegurarnos de

que el primer plano está enfocado con total nitidez.

Iluminación lateral

Menos espectacular que la iluminación trasera, la iluminación lateral resulta muy interesante. Es muy fácil conseguir imágenes inusuales y emotivas de la gente iluminándoles desde un lado con una luz potente. Y también sirve para aprender mucho durante el proceso. Lo más interesante de la iluminación lateral es que, a menudo, se aprenden cosas

nuevas de los modelos. Se ponen de manifiesto fallos en los que podríamos no haber caído antes, pero también de vez en cuando se descubre una belleza completamente desconocida, que puede llevarnos a realizar retratos muy poderosos.

La iluminación lateral, o iluminación partida, se puede hacer de muy diversas formas. Casi cualquier fuente de luz servirá, pero resulta práctico que las luces sean lo más flexibles posible. Normalmente, las querremos mover y cambiar su intensidad para obtener las fotos deseadas, así que unos buenos focos móviles o flashes de intensidad variable pueden resultar adecuados.

Debemos recordar siempre que realmente no existen reglas sobre cómo obtener las mejores fotos. Se puede iluminar solo uno de los lados de la cara o los dos. Si optamos por iluminar desde ambos lados de la cara, deberíamos intentar que una de las luces fuera más brillante que la otra. Una ligera diferencia en la intensidad producirá una agradable sensación de profundidad en las fotografías.

Cerca, más cerca

Soy el primero en admitir que "acercarse todavía más" no es una regla universal para la fotografía. Sin embargo, confieso mi preferencia personal por las distancias cortas. Me encanta

Siempre más cerca...

Muchos fotógrafos famosos tienen esto, "siempre más cerca", como su mantra personal. El fotógrafo húngaro Robert Capa era uno de ellos (en Internet podemos admirar su absolutamente increíble trabajo). Le apasionaba la fotografía bélica y cubrió no menos de cinco guerras importantes.

Sus fotos son el testamento de un fotógrafo dedicado y con un enorme talento, que nunca sintió que estuviese demasiado cerca de la acción. Desgraciadamente, este deseo, combinado con su pasión por la fotografía bélica, lo llevó a "acercarse" tanto que encontró la muerte. Murió con la cámara en la mano, en el campo de batalla, tras pisar una mina.

Como regla general, nunca se está lo suficientemente cerca.

mirar retratos en los que uno tiene la sensación de que puede tocar a la persona que aparece.

La mayoría de la gente que comienza en el mundo de la fotografía está atrapada en el modo del "¡Oh, no! ¡No debería haberles cortado la cabeza!". En consecuencia, suelen abrir demasiado el zoom o separarse mucho. Y no existe ninguna razón para ello; al contrario, hay que aproximarse e intimar. Es de una gran belleza ser capaces de ver los ojos, las pequeñas arrugas de una sonrisa o todos los detalles de la piel.

Psicológicamente, los primerísimos planos funcionan muy bien porque permiten atisbar aspectos poco vistos de la persona. Nos llevan hacia el interior de su espacio personal, un lugar generalmente reservado a su familia, amigos, pareja..., o a completos desconocidos en un atestado vagón de metro. Por supuesto, una fotografía es diferente a cualquiera de esas experiencias, pero nada nos impide usar todos los trucos del libro para lograr que nuestras fotos muestren la mayor intimidad posible.

Para lograr esa proximidad, podemos acercarnos físicamente, claro está, pero observaremos que no toda la gente se siente a gusto con un objetivo muy cerca de sí. La forma de evitarlo no es otra que manejar el zoom. Se pueden lograr retratos muy bellos e íntimos desde la otra punta de la habitación con una lente de 200 mm, por ejemplo. Como alternativa, según vimos en los capítulos 4 y 7, no deberíamos dudar a la hora de hacer recortes más tarde.

Uso creativo del color

Como seres humanos, reaccionamos vivamente ante los colores, y usarlos con plenitud en nuestros retratos es muy buena idea. Una forma de resaltar el rostro es mediante un maquillaje brillante, pero también se pueden hacer otras muchas cosas. La ropa y el fondo, en particular, pueden lucir fantásticos con colores vibrantes.

Si nos sentimos vanguardistas, podemos añadir geles coloreados a los flashes o a las luces para dar color extra a las fotos. Lo mejor de añadir geles a las luces es que nos permiten "pintar" una pared de un color en 1/60 de segundo, y repintarla con otro color igual de rápido. No es la técnica más

A veces, un toque de color, puede cambiar totalmente una foto para bien, pero también para mal.

En ambientes con iluminación extremadamente pobre, el blanco y negro puede significar la salvación de una fotografía que, de otro modo, sería inservible.

original, pero resulta perfecta para dar chispa a nuestras fotos.

Otra cosa que podemos hacer es desaturar partes de nuestras fotos, lo que resulta muy interesante para llamar la atención hacia las imágenes. Veremos más detalles en el capítulo 7.

Blanco y negro

En este libro hemos podido ver muchas fotos en blanco y negro, y por una buena razón. Las imágenes monocromáticas forman parte de la fotografía desde sus orígenes.

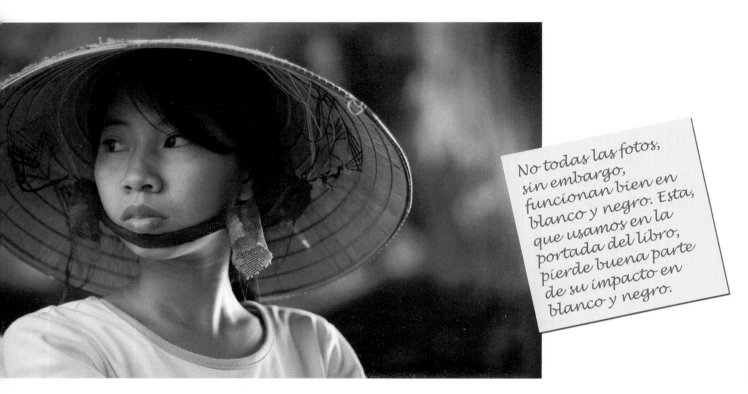

No todas las fotos, sin embargo, funcionan bien en blanco y negro. Esta, que usamos en la portada del libro, pierde buena parte de su impacto en blanco y negro.

Lo mejor del blanco y negro es que permite abstraer lo que vemos de una forma estupenda. Con las fotografías en color bien equilibradas, documentamos, en cierto modo, algo que sucedió en algún momento. En blanco y negro, eliminamos, por así decir, la distracción del color y nos quedamos con la textura, las formas y la luz. Tanto en fotos sutiles como en las que utilizan un blanco y negro de contrastes elevados, los resultados pueden ser asombrosos. Además, todas ellas tendrán un aire indiscutible de integridad artística clásica.

El sitio apropiado para convertir una foto en blanco y negro es el cuarto oscuro digital, puesto que nos brinda la máxima flexibilidad. En el capítulo 7, veremos con más detalle las distintas formas de convertir una foto en blanco y negro, pero, por ahora, pensemos en cómo vamos a decidir si una

El blanco y negro puro funciona en algunas fotos, mientras que otras están mejor en tonos sepia o con otros efectos de color del mismo tipo. Hay que experimentar hasta dar con lo más adecuado.

foto debería estar en color o en blanco y negro.

Personalmente, suelo mirar versiones en blanco y negro de todas mis fotos en algún momento, simplemente porque me ayuda a visualizar el potencial de una fotografía. Luego, después de eso, a veces decido que el color disponible en la imagen realmente añade valor a la fotografía en conjunto. Tal vez porque influya en el tono emocional o porque haga la foto más interesante. Si ese es el caso, obviamente, la foto "pide" estar en color. Si no aprecio grandes diferencias o, más aún, si la foto se ve mejor en blanco y negro, empiezo el proceso de creación de una auténtica conversión a blanco y negro.

Fotografía callejera

Un problema a la hora de fotografiar a las personas es que suelen actuar de forma diferente cuando saben que están siendo retratadas. La mayoría de nosotros no estamos muy a gusto frente a una cámara, pero hasta los que sí lo están tienden a posar o a comportarse forzadamente cuando les apunta un objetivo.

La fotografía callejera se sobrepone a este problema. En lugar de pedir permiso, instalar luces y trabajar con los modelos, nos vamos a dedicar a fotografiar a la gente en su "hábitat natural". Podríamos captar la imagen de un hombre de negocios en una conversación con su BlackBerry de camino al trabajo, un artista callejero tomándose un descanso o un turista asombrado ante un monumento. Algo que tienen en común estas escenas es que no las podríamos haber creado en un estudio. Suceden en una fracción de segundo y pasan igual de rápido.

El modo más rápido de tomar el pulso a la fotografía callejera no es otro que salir a dar un paseo y ver gente. Cada vez que veamos algo que nos haga desear haber llevado la cámara con nosotros, estaremos ante una oportunidad para una fotografía callejera.

Puntos clave del capítulo

El aspecto más importante de la fotografía callejera consiste en capturar lo que la gente hace mejor: vivir su vida.

Hacer fotos de personas que "van a lo suyo" puede sonar banal, que no compensa el esfuerzo, pero, si de algo estoy seguro es de que la fotografía callejera merece mucho la pena cuando uno empieza a hacerse con ella. Busque a alguno de los grandes (Diane Arbus, Helen Levitt, Saul Leitner, Leonard Freed, Henri Cartier-Bresson, Tina Modotti, Bruce Davidson, Garry Winogrand) en Internet para seguir una introducción sistemática al género.

Como extra, deberíamos dedicarnos a entrenar nuestra capacidad de ver a la gente en su entorno natural, pues también nos ayudará a hacer mejores retratos formales.

Suena fácil, pero hacer buenas fotografías callejeras es increíblemente complicado, sobre todo porque se carece de una segunda oportunidad. A menudo, paso tardes enteras haciendo fotos sin capturar ni unaque se pueda aprovechar. No obstante, todas las imágenes que tomemos serán naturales y bellas, y mostrarán un entorno o comunidad particulares de forma única. ¡Tome su cámara y salga a la calle!

Elegir las mejores armas

Existen diferentes enfoques para la fotografía callejera, y el equipamiento que elijamos dependerá del método escogido.

Personalmente, soy un auténtico fan de los planos cortos e íntimos de los modelos, así como de hacerles fotos abiertamente. Para ello, creo que un cuerpo de cámara básico funciona muy bien. De hecho, la mayoría de las fotos de este libro se hicieron con una Canon Digital Rebel XSi (EOS 450D).

Además de ser más pequeño, me encanta usar su rápido objetivo de focal fija. Un 50 mm f/1.8 va estupendamente, pero podemos usar un 50 mm f/1.4 si estamos dispuestos a gastar un poco más. La ventaja de un objetivo de focal fija es que ofrece grandes aperturas máximas, lo que significa que podemos aislar a nuestro modelo del fondo con mayor facilidad.

La fotografía callejera es uno de los nuevos campos en el mundo del retrato, donde una cámara SLR no es la mejor opción necesariamente. Una Leica M8 o M9 cuesta una pequeña fortuna, pero es silenciosa y resulta magnífica para hacer fotos furtivamente. Si no estamos dispuestos a rehipotecar nuestra casa para comprar una de esas, una cámara puente como la Olympus E-P1, la Panasonic Lumix DMC-GF1 o una de gama alta, como la Canon G11, serán suficientes para nuestras fotografías callejeras.

Captar imágenes de gente sin que se den cuenta a menudo facilita tomar el pulso a una localización particular, en este caso, un mercado de flores de Londres.

Usar una gran apertura permite desenfocar el fondo, que es una forma estupenda de asegurarse de que el fondo queda bien.

Para una revisión rápida sobre la apertura, podemos regresar al capítulo 3.

MANTENER UN PERFIL BAJO

Si prefiere mantener las distancias, un teleobjetivo de 70-200 mm es ideal. Sin embargo, los objetivos con un zoom de estas características suelen ser muy grandes y pueden hacernos parecer auténticos paparazzi. La gente no suele apreciar a los paparazzi. Yo mismo he estado a punto de ser una verdadera molestia para ciertas personas que se ofendieron al ser fotografiadas.

Me encanta hacer fotos en zonas "peligrosas" de las ciudades, pero, si los modelos no son de fiar, parecer policías encubiertos no nos va a granjear ninguna simpatía.

Suelo tener menos preocupaciones si uso un objetivo y una cámara de pequeño tamaño cuando hago fotos en ciertas zonas donde no abunda el turismo.

Sacar fotos a hurtadillas

El enfoque que le demos a nuestras fotografías callejeras dependerá en gran medida de nuestra propia personalidad. Si tenemos confianza en nosotros

Hice como que fotografiaba una estatua, y ella ni se dio cuenta de que la retrataba.

"¡Está detrás de ti!". Se pueden hacer fotos muy divertidas por ahí.

mismos y no nos preocupa tener algún enfrentamiento ocasional, podremos hacer casi lo que se nos antoje. Ahora bien, es recomendable tener presente que las actitudes y las posturas de la gente cambian si se saben fotografiados. En algunas circunstancias, que la gente reaccione ante la cámara, o incluso que pose frente a nosotros, no supone ningún problema. En otros casos, por el contrario, eso no funcionará, y nos daremos cuenta de que la reacción arruina el tono emocional que íbamos buscando.

Soy un devoto total de hacer fotos a hurtadillas. El ajetreo de los mercados callejeros, de las calles comerciales o de los eventos culturales proporciona buenos entornos donde practicar. A menudo, me limito a colocarme cerca de algún cruce muy concurrido, mercado popular o calle peatonal donde haya mucha gente interaccionando entre sí. Si la luz no cambia mucho, configuro mi cámara en el modo de exposición manual, hago un par de fotos de prueba para asegurarme de que la exposición es buena y, acto

seguido, me dedico a merodear por ahí. Cuando veo algo interesante, me llevo la cámara a la cara, encuadro, disparo... y cruzo los dedos para que la foto haya sido buena.

En las localizaciones muy frecuentadas por turistas, a menudo se encuentra gente de todo el mundo. Y eso constituye una oportunidad estupenda para hacer fotografía callejera. En estas situaciones, suelo adoptar un enfoque ligeramente distinto. En vez de merodear por un solo

Es posible que esté tomando la "fotografía callejera" de una forma muy literal aquí. Hay que tener en cuenta que, si hacemos fotos con la cámara a la altura de la cadera, muchas saldrán defectuosas. Aunque muchas de ellas serán asombrosas, también.

El modo de la cámara

Cuando se hacen fotos en plena calle, las cosas pasan muy deprisa, y es importante que nuestra cámara no resulte un obstáculo. Si tenemos un objetivo con un enfoque automático lento, como el fantástico Canon 50 mm f/1.8 de focal fija, deberíamos pensar en el enfoque manual.

En cuanto al modo de cámara, siempre uso la prioridad de apertura o el modo manual durante mis excursiones de fotografía callejera. Lo primero es estupendo, porque las grandes aperturas nos permiten desenfocar el fondo.

El modo manual es el preferido cuando la iluminación es complicada. La iluminación trasera o un sol muy intenso puede resultar una pesadilla para nuestro fotómetro, así que, para asegurar exposiciones consistentes, debemos invertir un tiempo en configurar la apertura, el tiempo de obturación y la ISO antes de disparar.

lugar, camino mucho por la zona y me confundo con la multitud de turistas. Se me conocía por llevar una camiseta de "I Love New York" mientras practicaba la fotografía callejera en pleno Londres, para pasar desapercibido y confundir a la gente.

Un gran fotógrafo me dijo una vez que si él tuviera que hacer fotos a gente bailando en una boda, se pondría a bailar también, aunque solo fuera para percibir la emoción del evento. Lo mismo se aplica en este caso: si vamos a hacer fotos en una zona turística, debemos pasar por turistas. Sin duda estamos ahí para hacer fotos de gente, pero sacar la famosa torre con el reloj en un par de fotos no puede hacernos daño.

Lo mejor es que mientras vamos con nuestra cámara de acá para allá, la gente deja de prestarnos atención rápidamente. Cuando la propia cámara se convierte en nuestro camuflaje, hacer fotos a hurtadillas se vuelve realmente fácil.

Fotografía callejera a grandes distancias

Es muy divertido sacar fotos en nuestro barrio, pero la gente se convierte en algo mucho más interesante tan pronto abandonamos la comodidad de nuestra ciudad o país. Como no se necesita mucho equipamiento, es posible llevarse todo lo necesario. En mi opinión, es posible saber mucho más de un país haciendo fotos de su gente, que limitándose a sus puentes, castillos o bosques.

Hacer fotos lejos de casa nos ofrece interesantes desafíos desde el primer momento. En algunos sitios

Este niño estaba tan embebido en su juguete que pedía a gritos ser retratado.

existen tabúes religiosos o culturales respecto a ser fotografiado, así que es conveniente verificar este extremo antes de partir. En otras circunstancias, la ley puede ser suficiente obstáculo para fotografiar a la gente con tranquilidad.

Por último, en ciertos países, podemos encontrarnos con que policías y guardias de seguridad gustan de pelearse con los fotógrafos. No hay mucho que podamos hacer al respecto. Para ello, lo mejor es no mostrarse a la defensiva, sonreír mucho, adoptar una apariencia despistada y bobalicona y hacer lo que se nos diga, dentro de lo posible.

Cuando voy a hacer fotos en situaciones particularmente comprometidas, suelo llevar muchas tarjetas de memoria pequeñas. Es cierto que un bolsillo lleno de tarjetas de 500 MB de memoria no resulta muy cómodo, pero puede salvarnos el día. Si un representante de la autoridad se enfada, basta con sacar la tarjeta de la cámara y ofrecérsela. Por lo general, se quedan tan confundidos que rehúsan cogerla. En el peor de los casos, solo se llevarán la tarjeta, pero no es una gran pérdida. Nos arrebatarían unas cuantas fotos y una tarjeta de memoria barata, pero

Los festivales pueden ser una gran oportunidad para la fotografía callejera.

No necesitamos demasiado equipamiento

En un reciente viaje de tres semanas por Vietnam, llevé exactamente cuatro cosas: mi cámara básica Canon SLR, un objetivo 50 mm f/1.4 a focal fija, una batería y una tarjeta de memoria. Esta austeridad era, hasta cierto punto, impuesta. Iba a recorrer el país en moto y no podía transportar demasiadas cosas, pero no quería renunciar al desafío de hacer fotos sin contar con muchas opciones.

¿Fue un éxito? La foto que ocupa la portada del libro es resultado de dicho viaje, así que creo que puedo decir que sí.

Debemos enfocar la cámara a nuestro alrededor. La audiencia de un espectáculo callejero puede resultar tan excitante como el espectáculo en sí.

conservaríamos un buen puñado de tarjetas para seguir haciendo fotos.

Por todo ello, es conveniente preservar siempre nuestro sentido común. Nunca preste su cámara, no discuta y sea educado. Tener que ir a la comisaría más próxima para resolver un malentendido no es la mejor manera de invertir el tiempo de nuestras vacaciones.

Protocolo callejero

En los retratos profesionales, los modelos suelen saber de antemano a qué se enfrentan. Es posible que hayan firmado un contrato con nosotros; seguramente, habremos analizado con ellos los planes para la sesión, etc.

Cuando fotografiamos en la calle, las cosas son muy distintas. Las leyes varían mucho de un lugar a otro, así como la actitud de la gente. En la mayoría de los países occidentales, existe el derecho a hacer fotos en lugares públicos, y se argumenta que hacerlas es una extensión de nuestro derecho a la libertad de expresión.

Los detalles más finos de la ley son complejos y escapan al propósito de este libro, pero en general podemos decir que nadie puede exigirnos que borremos nuestras fotos o entreguemos la cámara. Para informarnos bien, podemos escribir "derechos de los fotógrafos" en Google, junto con el nombre del país al que vayamos a ir a hacer fotos. Algunas webs cuentan con prácticos archivos PDF que podemos descargar e imprimir para tenerlos como referencia si tenemos problemas a la hora de hacer fotos.

FOTOGRAFÍA TRAVIESA

Cuando hice la foto de la chica que juguetea con su pelo, me encontraba en un local de una gran cadena de cafeterías. Eso me situaba dentro de una propiedad privada, pero como no había ningún cartel que lo prohibiera explícitamente, tenía permiso para hacer fotos.

Como se trata de una propiedad privada, el encargado del local tenía el derecho a pedirme que no hiciera fotos. Si no obedeciese el requerimiento, tendría el derecho a llamar a la policía.

Recordemos, no obstante, que a menos que haya una indicación o que se nos diga explícitamente que no podemos sacar fotos, no estamos haciendo nada malo. Lo que no pueden hacer es pedirnos la cámara, ni pueden exigirnos que borremos las fotos que hayamos hecho.

Da igual cuánto lo intentemos, nunca seremos tan guays como este tipo...

> *Sí, al principio, nos incomoda la idea de hacer fotos de desconocidos, podemos hacérselas a los artistas callejeros, que seguro que no les importa.*

En mi opinión, más importante que la ley es el sentido común. Cuando estamos fuera, no debemos hacer fotos de gente que obviamente no quiere ser fotografiada, y, si un guardia de seguridad nos pide que dejemos de hacerlas, lo más fácil es irnos a otra parte, aunque tengamos razón y él no.

Enfocando: la fotografía callejera

¿Tiene ganas de salir ahí fuera y ponerse a hacer fotos? Sinceramente, creo que sí. Bien, ¡déle una oportunidad a la fotografía callejera!

Para ello, lo mejor es tomar un periódico municipal o encontrar un sitio web que publique eventos locales, y busque algo que vaya a tener lugar en su zona en los próximos días. ¿Que ya tiene algo? ¡Estupendo! Prepare su cámara y dispóngase a atrapar un trozo de su ciudad. Recuerde, eso sí, que va a hacer fotos de personas y que debe tratar de capturar su carácter, humor y personalidad.

¡Buena suerte!

Edición fotográfica

Quien se acabe de gastar una respetable cantidad de dinero en una magnífica cámara réflex digital último modelo se sentirá consternado al saber que las fotos hechas con cámaras compactas suelen tener mejor apariencia.

¿Cómo es posible? De hecho la mayoría de la gente se sorprende por ello. Sin embargo, lo cierto es que los fabricantes de cámaras saben muy bien, hoy en día, a quién se dirigen con sus productos. Y la gente que usa cámaras compactas suele querer colores vivos, imágenes nítidas y ser capaz de subirlas a Facebook o de enviarlas por correo electrónico al momento.

El problema con las mejoras que las cámaras compactas realizan sobre las imágenes, incluso antes de grabarlas en la tarjeta de memoria, es que son destructivas. En otras palabras, al mejorar y "hacer que tengan mejor apariencia" las imágenes, las cámaras compactas toman muchas decisiones por nosotros y, en el proceso, descartan información que podría servirnos para realizar modificaciones creativas en las fotos.

Los propietarios de cámaras réflex digitales tienden a ser más entendidos y a estar obsesionados por el control de todos los detalles que pueden proporcionarles ese control extra sobre la apariencia final

---

Puntos clave en este capítulo

La edición de fotografías hace que nos tengamos que ocupar de muchas más cosas después de haber hecho la foto, pero eso forma parte de la magia de la fotografía digital. Muchos fotógrafos han dejado ya de identificar la fotografía solo con el proceso de hacer fotos, y empiezan a ver este proceso más como una recogida de datos previa a la postproducción.

No obstante, sigue siendo muy importante hacer bien las fotos, porque una foto mala no se puede hacer buena porque sí. Lo que sí se puede hacer es convertir una fotografía muy buena en una extraordinaria solo con retocarla un poco.

Para más
información sobre
la fotografía en
formato RAW,
véase el capítulo 3.

de las fotografías. Para ello,
el primer paso es disparar en
RAW, porque, al hacerlo, nos
aseguramos la conservación
de toda la información original
captada por el sensor de la
cámara. El paso siguiente
consiste en tratar las imágenes
en el cuarto oscuro digital.

El flujo de trabajo digital

Sé que el lector está loco por
hacer que sus fotos brillen con
luz propia, pero merece la pena
dedicarnos a lo aburrido en primer
lugar, antes de aplicar la varita
mágica sobre las imágenes.

A la hora de trabajar con
fotografías digitales, resulta
muy importante hacer las
cosas en el orden correcto. Yo

suelo almacenar mis fotos más
importantes, tales como bodas,
en múltiples tarjetas de memoria.
Suelo llevar conmigo unas pocas
tarjetas de gran tamaño (8 y 16
GB, que son bastante asequibles
y almacenan un buen número de
imágenes en formato RAW) y si
ocurre lo peor y una de las tarjetas
falla y queda inservible, tengo la
tranquilidad de saber que no he
perdido todas mis fotos.

Es recomendable hacer una copia
de seguridad inmediatamente
tan pronto descarguemos las
fotos de la tarjeta de memoria.
De este modo, si después de una

noche dedicada a la edición de fotos, perdemos unas cuantas accidentalmente, aún tendremos las copias de seguridad en un disco externo.

Lo siguiente es ordenar las fotos. Yo suelo colocarlas en cuatro pilas:

- **Inútiles:** el modelo está parpadeando; la foto está desenfocada; uno de los flashes no funcionó; etc.

- **Utilizables:** no tienen nada erróneo técnicamente, pero no son muy interesantes.

- **Buenas:** merecen que se les dedique un tiempo para editarlas adecuadamente.

- **Increíbles:** son las que merecen un premio.

Después de todos estos pasos, las fotos suelen quedar reducidas a un 20% de las iniciales. Suelo eliminar las "inútiles" directamente, pero quienes no estén seguros de hacerlo pueden conservarlas. El espacio en disco ahora es barato, y nunca se sabe cuándo vamos a necesitar volver sobre ellas.

Los siguientes pasos son:

- **Ajuste de la exposición:** en caso de que la exposición no haya sido tan buena como esperábamos.

- **Ajuste de la iluminación:** por ejemplo el contraste, el brillo y las sombras.

- Recortar y girar la imagen.

- **Limpiar la imagen:** en caso de que exista algo de suciedad sobre el sensor.

- **Retocar la imagen:** eliminar defectos en la cara o el cuerpo del modelo, por ejemplo.

- Recorte y giro final de la imagen.

- Mejorar la nitidez.

- Guardar la imagen.

Como se puede ver, yo suelo girar y recortar la imagen dos veces. La primera es para no tener que retocar partes de la imagen que no tengo intención de usar de ningún modo, mientras que la segunda es la operación definitiva. Este enfoque me permite la oportunidad de recortar por debajo de los bordes ya retocados, lo que proporciona una apariencia final mejor.

RESUMEN DEL FLUJO DE TRABAJO

- Usar varias tarjetas de memoria de gran tamaño (8 GB o más) para minimizar los riesgos.

- Descargar las imágenes.

- Hacer una copia de seguridad de las mismas en un disco duro externo.

- Seleccionar las fotos que se vayan a editar.

- Realizar los ajustes en la exposición y la iluminación.

- Hacer el primer recorte y giro.

- Limpieza y retoque.

- Recorte y giro finales.

- Mejorar la nitidez.

- Guardar.

Deberíamos guardar continua-
mente las imágenes a lo largo de
todo el proceso para asegurarnos
de que no perdemos el trabajo a
causa de algún problema con el
ordenador, por ejemplo.

El cuadro "Resumen del flujo de
trabajo" en la página 111 es un
recordatorio práctico de todo el
proceso; no estaría de más copiarlo
como lista de tareas. Recuerde que
esto no es más que una forma
de trabajar. No hay aquí reglas
fijas, pero durante años he venido
adaptando mi flujo de trabajo para
ganar eficiencia y he comprobado
que es uno de los mejores.

Software gratuito

Hay más o menos 100 formas
diferentes de retocar nuestras fotos.
Algunas de las opciones, como
Adobe Photoshop, son muy caras
si de lo que se trata es de editar
ocasionalmente. Otras son mucho
más asequibles, e incluso gratuitas.

Para los principiantes, lo más
recomendable es comenzar con
algún paquete gratuito. Picnik
(picnik.com) es un servicio de
edición de fotografías en línea
completamente gratuito que
incorpora soporte para Flickr.
Para usarlo, basta con hacer clic

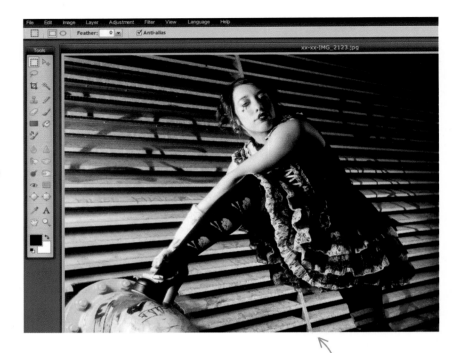

en Editar foto nada más subirla
a Flickr. Resulta estupendo para
trabajos de retoque sencillos,
pero no ofrece unos controles
muy detallados. Además, es
terriblemente lento en ocasiones.

Picassa (picassa.google.com) es
un software de gestión y edición
de imágenes que podemos
descargar en nuestro ordenador.
Es rápido, gratuito y muy útil,
pero su funcionalidad no es muy
superior a la que obtenemos con

Tanto Pixlr como Picnik son estupendos para recortes rápidos y pequeños retoques.

Picnick. Picassa es magnífico para un recorte rápido o para hacer pequeñas correcciones simples en una imagen, pero más allá de eso no es de gran ayuda.

Si no queremos gastar dinero, pero necesitamos la capacidad de editar imágenes, podemos echar un vistazo a GIMP (gimp.org) o Pixlr (pixlr.com). El primero es un paquete de software, mientras que el segundo es un editor de imágenes en línea muy potente que podemos usar directamente en el navegador.

Ocasionalmente, suelo usarlos todos. Picnik resulta magnífico para

retoques rápidos de imágenes capturadas en mi iPhone, por ejemplo, cuando no tengo a mi disposición el software habitual. GIMP es un software que recomiendo a cualquiera que desee la funcionalidad de Photoshop, pero que no quiera gastar dinero. Pixlr es fantástico para la edición de imágenes algo más avanzada, pero tiene una interfaz un tanto extraña: se parece tanto a Photoshop que, cuando alguna combinación de teclas de este no funciona, me resulta frustrante.

Al principio o cuando no se tiene un gran presupuesto, el software gratuito resulta estupendo,

así como cuando no tenemos disponible nuestro software habitual. La principal desventaja es que ninguno de ellos es lo bastante potente como para trabajar en serio con RAW. Esto significa que el enfoque gratuito no es el adecuado cuando se trata de trabajos profesionales.

Software comercial

Si la expresión "pasar el Photoshop" se ha convertido en sinónima de la labor de retoque fotográfico es por algo. Adobe Photoshop se comercializa desde hace más de 20 años y se ha convertido en una herramienta indispensable para los artistas digitales, diseñadores y fotógrafos de todo el mundo.

En la actualidad, Photoshop todavía es una herramienta increíblemente poderosa, pero no es tan bueno como otras aplicaciones para la gestión de imágenes y flujos de trabajo. Cuando trabajamos en formato RAW, se hace necesaria una considerable potencia de proceso para representar y mostrar las imágenes, y esto es inherentemente lento. Photoshop es uno de los mejores paquetes que existen para editar las imágenes de una en una, pero, si hemos hecho 1.000 fotos en una boda,

Con todas las fotos sobre las que se está trabajando dispuestas a lo largo de la parte inferior de la pantalla, una enorme área de trabajo y todas las herramientas a nuestra disposición, cuesta un poco acostumbrarse a Lightroom, pero una vez nos enganche, no sabremos cómo podíamos pasar sin él.

desearíamos no tener que abrirlas una por una para los ajustes básicos. Irónicamente, Photoshop es casi demasiado potente para los tiempos que corren. Yo me considero un usuario avanzado, y no utilizo más que una fracción de las características que ofrece.

De hecho, yo mismo casi he dejado de utilizar Photoshop por completo, puesto que ahora cuento con dos paquetes de software que procesan los archivos RAW mucho mejor: Aperture de Apple y Lightroom de Adobe. Personalmente, utilizo el último, pero Aperture es un programa potente y capaz, que tiene sus ventajas y desventajas.

Adobe produce también una versión más económica de Photoshop, orientada al mercado de consumo, llamada Adobe Photoshop Elements. Sin embargo, si queremos ser capaces de llevar los archivos RAW a su máxima expresión, tenemos que usar la versión completa. La mala noticia es que su precio no baja de los 600 euros. En comparación, Adobe Lightroom cuesta unos 200 euros y Aperture, unos 100.

Lo mejor de Lightroom y Aperture es que se trata de herramientas de edición no destructivas. Eso significa que funcionan tomando

los archivos RAW como base para la edición de las imágenes y proceden a almacenar todas las modificaciones como un histórico de cambios. De ese modo, nunca se pierde ni se modifica definitivamente el archivo original; se dispone de infinitos estados para la función deshacer, e incluso es posible activar y desactivar varios efectos para observar en vivo cuál es el que más nos gusta.

Si tuviéramos que elegir una sola aplicación para comprar, sería Adobe Lightroom. Es rápida, potente, relativamente fácil de aprender y hace de la edición de

fotos una labor rápida y agradable. Solo utilizo Photoshop para trabajos de composición más complejos, con profusión de aerógrafos y pinceles, así como con uso extensivo de otras herramientas.

Para el resto de este libro no volveré a tocar el tema de Photoshop. Simple y llanamente: con una o dos excepciones, no he utilizado Photoshop para editar ninguna de las fotos de este libro, sino que he trabajado exclusivamente con Lightroom. Mi recomendación es comprarlo, aprender a usarlo... y no mirar atrás.

Ajustar la exposición

No importa cuánto tiempo dediquemos a exponer correctamente nuestras fotos, es poco probable que consigamos hacerlo bien al cien por cien. Dicho de otra manera: creo que nunca he hecho una foto que no se haya beneficiado de, al menos, un poco de corrección en la exposición

No es más que una instantánea durante las vacaciones, pero se hizo realmente subexpuesta y con horribles problemas en el equilibrio de blancos. Una corrección rápida y un recorte oportuno después, y tenemos una foto bastante decente de una amiga mía muy aficionada a la fotografía.

con un programa de retoque fotográfico.

Dependiendo del software que elijamos, nuestro enfoque para el ajuste de la exposición variará. La mayoría de los paquetes de software ofrecen una herramienta de niveles que resulta estupenda para las correcciones de la exposición. Casi todas las herramientas de niveles incluyen tres deslizadores: uno para las sombras (a la izquierda), uno para los brillos (a la derecha) y uno en el punto medio.

Si llevamos el deslizador de las sombras hacia el punto medio del histograma, aumentaremos las zonas de sombra en la imagen. Esto quiere decir que un mayor porcentaje de la foto será de color negro puro, lo que resulta estupendo para añadir cierto tono depresivo. Cuando movemos el deslizador de los brillos hacia el centro del histograma, sucede justo lo contrario: la foto comienza pronto a estar sobreexpuesta y se empiezan a perder detalles en las zonas más brillantes.

El deslizador del punto medio sirve para sesgar el tono global de la imagen hacia el brillo o hacia la oscuridad. Resulta perfecto cuando

queremos hacer que la foto al completo sea más brillante o más oscura sin cambiar demasiado las sombras o los brillos.

El ajuste de la exposición dependerá del efecto que se busque en cada momento. Podría ser que solo quisiéramos dar brillo sutilmente a una foto para que destacase más, o podríamos decidir que una foto en particular es apta para una manipulación creativa más intensa donde tuvieran cabida medidas más extremas. Cada uno sabe mejor que nadie lo que está buscando, así que no tiene más que utilizar las herramientas disponibles para conseguirlo.

Guardar una imagen sobreexpuesta

Cuando comencé a dedicarme a la fotografía, la técnica digital no existía ni en sueños. Solo se utilizaba película fotográfica, con todas sus limitaciones. Uno de los problemas principales era la exposición. Si se sobreexpone un negativo, todo estará en contra: los halogenuros de la película se oxidan al 100% y se empiezan a perder datos sin posibilidad de recuperarlos.

Mientras durante mucho tiempo las películas fotográficas ofrecían un mayor rango dinámico, esto es, la cantidad de información que se puede capturar entre las partes más brillante y más oscura de una imagen, las cámaras digitales ya se han puesto a la par.

No siempre es posible, pero ver cómo se recuperan zonas de una imagen que estaban sobreexpuestas es algo mágico para alguien que creció usando película fotográfica. Parece algo imposible, pero ocurre ahí mismo, ante nuestros propios ojos.

De modo que, si hemos sobreexpuesto una imagen, no debemos preocuparnos porque no todo está perdido. Como estamos disparando en formato RAW, el archivo contiene realmente mucha más información de la que se puede guardar en JPG, lo que quiere decir que se conservan muchos más detalles y rango dinámico. Por tanto, es posible que podamos recuperar las áreas sobreexpuestas.

En nuestro software RAW, debemos buscar las opciones de "recuperación" o "exposición" y ver si podemos mejorar las áreas sobreexpuestas.

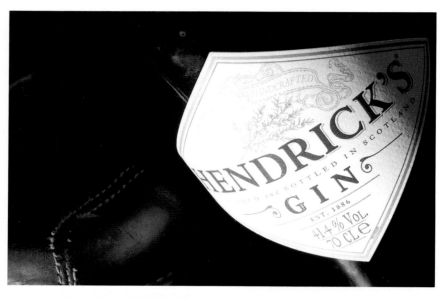

Realmente sobreexpuesta..., pero, sorprendentemente, no sin remedio.

Contraste

Jugar con la exposición de las fotos solo es la mitad de la historia en lo que respecta al brillo. Podría resultar útil pensar en las correcciones de la exposición como el arreglo de aquello que salió mal cuando hicimos la foto, mientras que el resto de los retoques se hacen buscando efectos creativos.

El más importante de esos otros retoques suele ser el contraste. Se puede cambiar mucho la apariencia de una misma foto si adoptamos un enfoque de alto contraste o uno de contraste bajo. Las fotografías con bajo contraste suelen tener una apariencia natural, amable e inocente. Un mayor contraste tiene un efecto más dramático y dota a la foto de una apariencia más dura.

Normalmente, no se necesita cambiar tanto una foto para que tenga dos apariencias completamente diferentes, véanse, si no, las dos imágenes de esta misma página. Creámoslo o no, son exactamente la misma fotografía y con el mismo recorte. Sólo se ha cambiado el contraste y se han añadido unos pequeños retoques para acentuar las diferencias. Por ejemplo, aclarando el brazo en una de las fotos y

oscureciéndolo en la otra, así como oscureciendo mucho más la parte en sombra del rostro en la fotografía superior.

No obstante, tampoco es necesario llegar a esos extremos. Las personas reaccionamos a las fotos de forma inconsciente con un sentimiento de "bueno e inocente" o de "perverso y malvado" según el nivel de contraste. Lo que hay que hacer es experimentar, experimentar y experimentar tanto con los niveles como con el contraste, y pronto nos habremos hecho con ello.

Recortar y girar las fotos

Por supuesto, ya tuvimos en cuenta cómo íbamos a recortar la foto en el momento de hacerla, ¿no es cierto? Bueno, no hay que preocuparse, es fácil de olvidar. Lo bueno de una cámara réflex digital es que podemos utilizar los píxeles extra a pleno rendimiento. Podemos librarnos de todos los bits de la foto que no queramos, y todavía tendremos suficiente cantidad de píxeles para terminar con una foto final de gran calidad.

Todo el software de retoque fotográfico incorpora una herramienta para recortar las imágenes. Y es muy probable que la misma nos sirva también para girar las fotos.

Todo el mundo nos dirá que el horizonte debe quedar perfectamente recto en todas y cada una de las fotos. Eso no es completamente cierto, pero debemos tener presente que si el horizonte parece que debería estar recto y no lo está, nuestra foto estará desequilibrada.

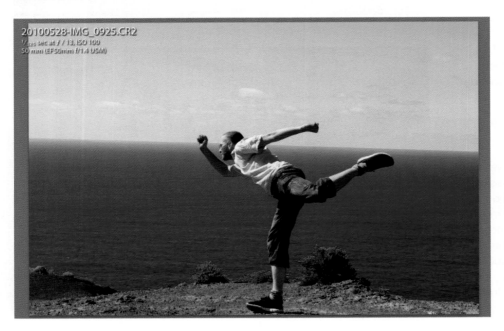

20100528-IMG_0925.CR2
1/xxx sec at f / 13, ISO 100
50 mm (EF50mm f/1.4 USM)

1

Localice su imagen y seleccione la herramienta para recortar.

2

Haga un recorte grosso modo para hacerse una idea de cómo quedaría la foto.

3

Cuando se gira la foto en Lightroom, la aplicación muestra una rejilla muy útil que resulta perfecta para alinear el horizonte.

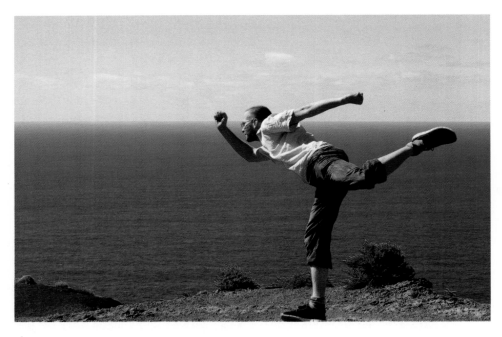

4

Mueva el cuadro de recorte a donde mejor le parezca y pulse Intro para aplicar los cambios. Bien, aquí tenemos una imagen perfectamente recortada.

Si hemos decidido deliberadamente, por motivos artísticos, que nuestra foto va a estar torcida, está bien, pero debemos asegurarnos de exagerar esa disposición. Eso suele ser lo único necesario para que los espectadores sepan que no ha salido así por accidente.

Por último, debo confesar que soy un auténtico fan de la relación de aspecto 3:2 en mis fotos, pero también se puede optar por una resolución panorámica como 16:9, cuadrada, 1:1, o como

una pantalla de televisión, 4:3. No obstante, tampoco hay que conformarse con las relaciones de aspecto comúnmente aceptadas. Si creemos que una foto estaría mejor con un formato alargado o, por el contrario, casi cuadrado, pues la configuramos así. Nosotros somos los fotógrafos y nosotros definimos el aspecto de las fotos.

Corrección de color

La corrección de color es la pesadilla de muchos fotógrafos. Es

notoria la dificultad de lograr un buen equilibrio de blancos, pero, si planificamos cuidadosamente, podremos derrotar al sistema.

Lo que necesitamos es contar con una tarjeta de grises. Se trata de un trozo de plástico o cartón de un color gris neutro muy específico. Se la daremos a nuestro modelo y haremos una foto de la escena como la haríamos normalmente. Esto es algo que tendremos que hacer cada vez que cambie la iluminación.

1 Utilizamos la herramienta de equilibrio de blancos y situamos el puntero del ratón sobre la tarjeta gris. Obtendremos una versión enormemente ampliada de los píxeles que rodean el cursor. Seleccionamos el píxel con apariencia más neutral y hacemos clic. Acto seguido, toda la foto se ajustará con respecto a dicho píxel.

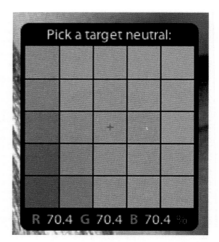

2

Si la imagen tiene buena pinta, acabamos de ahorrarnos un montón de tiempo. Nos dirigimos al menú Edición > Copiar y obtenemos una captura de la pantalla en este paso. Lo que se copia en este momento son los ajustes que acabamos de aplicar a la primera imagen. Deseleccionamos todo, seleccionamos sólo el equilibrio de blancos y hacemos clic en Aceptar.

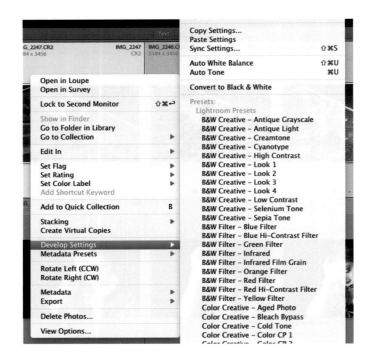

3

Ahora nuestro portapapeles contiene los ajustes del equilibrio de blancos de la primera imagen con la tarjeta de grises. De vuelta a nuestra biblioteca de imágenes, seleccionamos todas las fotos que deban llevar el mismo equilibrio de blancos, hacemos clic con el botón derecho sobre una de las imágenes, seleccionamos los ajustes de Revelar y hacemos clic en Pegar ajustes.

4

Bien, no hay más que verlo. Todas nuestras fotos, con un equilibrio de blancos perfecto y unos tonos neutros preciosos. Por descontado, todavía podemos querer hacer una foto con un tono más o menos frío para un efecto dramático, pero por lo menos ya podemos partir de una imagen magníficamente neutral.

5 Aun cuando no hayamos caído en la cuenta de llevar con nosotros una tarjeta de grises, podemos ahorrarnos un montón de dinero buscando el equilibrio de blancos de una imagen a mano. Para empezar, hacemos clic en el botón de Automático. Lightroom es sobresaliente con el equilibrio de blancos de las fotos y ofrece, cuando menos, un buen punto de partida para nuestros ajustes manuales posteriores. Si no estamos conformes, podemos utilizar la herramienta Cuentagotas para encontrar algo con un tono de color relativamente neutro, o bien emplear los deslizadores manuales para hacer el equilibrio de blancos a ojo.

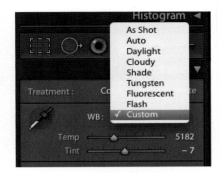

Parece tedioso, ¿no? Pues no, ni mucho menos. Lo siguiente servirá para ahorrarnos una tremenda cantidad de trabajo durante la postproducción. Cuando tengamos todas nuestras fotos importadas en Lightroom, podemos hacer un pequeño truco realmente fantástico...

Limpiar las imágenes

Aun los más cuidadosos entre los fotógrafos cuidadosos con su material pueden tener algo de polvo en los sensores de imagen. En algunas fotos, esto no se notará, mientras que en otras, el polvo aparecerá como borrones difusos o zonas ligeramente oscuras. Además, resulta particularmente visible cuando hacemos fotos con el fondo desenfocado, así como en las zonas grandes con colores uniformes y brillantes, como el cielo.

1

No estoy contento con las motas negras en el suelo que aparecen en esta imagen, así que las voy a eliminar. Para ello, seleccionamos la herramienta Eliminación de manchas (o pulsamos la tecla Q) en la vista Revelar, con nuestra foto seleccionada en la Biblioteca.

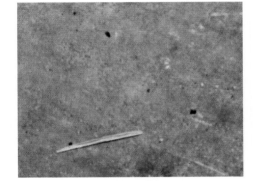

2

Veremos cómo el cursor adopta la forma de una cruz con los brazos muy finos ("crosshair"). Utilizamos la rueda del ratón para modificar el tamaño del cursor hasta que solo sea ligeramente más grande que la mota que deseemos eliminar. De este modo, alterando lo menos posible la imagen original, nuestros retoques serán más naturales y más difíciles de notar en la imagen definitiva.

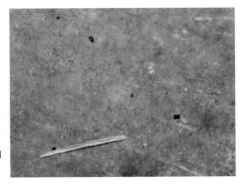

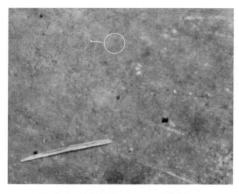

3 Podemos eliminar la mancha de dos maneras distintas. Simplemente, haciendo clic sobre ella y que Lightroom se encargue de buscar una zona adecuada en la imagen para tomar una muestra. Si Lightroom se equivoca o si deseamos disfrutar de un plus de control, mantenemos pulsado el botón izquierdo del ratón y arrastramos el cursor hacia otra parte de la imagen. Lightroom nos mostrará una previsualización en vivo de lo que estemos a punto de hacer, y no debemos preocuparnos de si la zona de muestreo es ligeramente más oscura o más clara, Lightroom hará los ajustes oportunos por nosotros.

4 Finalmente, soltamos el botón del ratón y el software hará la sustitución por nosotros. Pues bien, acabamos de hacer el trabajo de clonación más fácil y rápido en la historia de la humanidad. En los antiguos días del cuarto oscuro, habríamos pasado horas haciendo eso mismo, y no hubiera quedado igual de bien ni de lejos. Por último, no nos hemos olvidado de los restantes puntos negros.

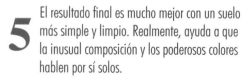

5 El resultado final es mucho mejor con un suelo más simple y limpio. Realmente, ayuda a que la inusual composición y los poderosos colores hablen por sí solos.

Para eliminar las motas de polvo utilizaremos la herramienta Eliminación de manchas en Lightroom. Veamos cómo. Los puntos negros del suelo en realidad no eran motas de polvo en el sensor. Yo mismo he hecho multitud de fotos con polvo, pero, aunque el efecto es muy molesto en la pantalla, las motas normalmente no aparecen tan nítidas al imprimir. Sin dramatizar diremos que la técnica empleada es la misma para motas de polvo que para pedruscos.

Corregir defectos en la piel

La misma técnica utilizada con las motas de polvo y con los pedruscos sirve para eliminar las imperfecciones en la piel de un modelo. Para esta demostración, haremos desaparecer un pendiente de la nariz de una modelo, pero se puede utilizar la técnica para otras cosas como manchas, acné, cicatrices, arrugas, etc. La herramienta Eliminación de manchas en Lightroom funciona estupendamente bien sobre cosas pequeñas, pero para hacer cirugía mayor debemos acudir a Photoshop.

1

No es un mal retrato, pero estaría mejor sin el pendiente en la nariz. Siendo como somos unos héroes de la manipulación de imágenes, sabemos exactamente lo que tenemos que hacer. Abandonamos la herramienta Eliminación de manchas y repetimos los pasos anteriores.

2 Ampliamos la imagen lo suficiente como para ver claramente lo que hacemos. No se puede realizar ninguna labor fina de retoque sobre una imagen reducida. Todo es cuestión de precisión y de hacerlo bien. Sugeriría que se ampliase la imagen no menos del 100% en la pantalla.

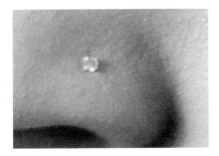

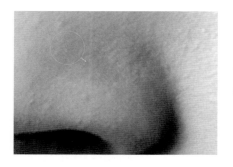

3 Arrastramos la herramienta Eliminación de manchas desde el pendiente de la nariz hasta la zona que vayamos a muestrear. Nuevamente, cuanto más pequeña sea la herramienta, mejor.

4

Ya está. Personalmente, creo que eliminar el pendiente hace que la vista vaya directamente a los ojos de la modelo, puesto que se elimina un punto focal natural de la nariz. ¡Perfecto!

Del color al blanco y negro

Pasar fotos a blanco y negro puede ser muy fácil, o increíblemente complejo. Todo depende de los efectos que busquemos obtener.

La mayoría de las aplicaciones cuentan con una opción para desaturar las imágenes que permite que los colores desaparezcan como por ensalmo. Pero para comprender realmente cómo funciona el blanco y negro, debemos entender cuál es la influencia de los diferentes colores en la apariencia de una imagen. Imaginemos que estamos mirando a través de unas gafas de sol azules. Veremos azul todo lo que sea azul, pero todo lo rojo se verá negro. Y lo contrario es cierto igualmente: si las gafas de sol fueran rojas, las cosas rojas se verían bien y las azules, negras. Esto se debe a la forma en la que los distintos colores se bloquean entre sí.

A la hora de convertir una foto en blanco y negro, muchos programas de retoque fotográfico nos permiten seleccionar los canales de color que vamos a utilizar. En Photoshop,

Una chica preciosa, bien iluminada y en una gran pose. No obstante, podría verse aún mejor. Veamos qué se puede hacer en la postproducción...

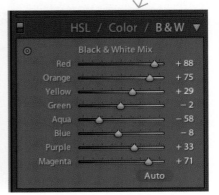

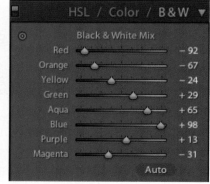

podemos emplear el Mezclador de canales, que nos permite controlar los canales rojo, azul y verde. En Lightroom, el control es incluso más detallado. Veamos qué pasa si favorecemos mucho un canal sobre otro.

Solo he mostrado la apariencia de las fotos con los tres sesgos de imagen, rojo, verde y azul, pero tenemos hasta ocho deslizadores distintos con los que podemos jugar, y cada uno de ellos ofrece resultados sutilmente distintos que dependen de cómo los mezclemos entre ellos. Esto constituye una tremenda oportunidad para los fotógrafos digitales, puesto que les permite afinar las fotos en blanco y negro hasta dejarlas exactamente como desean.

Recomiendo sinceramente que se experimente con los canales extensamente para conocer todo su potencial. Tenga en cuenta, no obstante, que un filtro rojo tiende a reducir las imperfecciones de la piel y la muestra mucho más suave, mientras que un filtro azul hace justo lo contrario. Así, si alguien tiene pecas, destacarán mucho más junto con cualquier irregularidad de la piel. Es un efecto que funciona especialmente bien en las fotos de hombres maduros en blanco y negro, puesto que los muestra duros y varoniles.

Resumen

Veamos qué pasa cuando empezamos a combinar todas estas técnicas de la forma más adecuada. Ahora empezamos a pensar como verdaderos artistas; en vez de hacer fotos, creamos fotografías. Para ello, tenemos en cuenta la iluminación, las poses, la comunicación con nuestros modelos..., y cómo podemos conjuntarlo todo en la postproducción.

Veamos, por ejemplo, la foto de la derecha. Es el retrato de una buena amiga mía, realizado en un estudio acondicionado con los flashes adecuados, cajas de luz, etc. Después de hacerlo, sentí que había capturado un momento único, pero también pensé que la iluminación no estaba bien del todo. La imagen está ligeramente subexpuesta y tiene muchas sombras.

Pero eso no es desafío suficiente para un intrépido usuario de Lightroom, ni mucho menos.

En primer lugar, pasé la foto a blanco y negro y apliqué un tono sepia muy tenue para suavizar la dureza del blanco y negro un poco. Luego, utilicé la herramienta Eliminación de manchas para corregir alguna de las pequeñas imperfecciones de su piel. Reduje el contraste un poco e incrementé la exposición una pizca para aliviar la intensidad de las sombras de la cara.

Después hice uso de un pincel para suavizar la piel (un pincel configurado con un desenfoque muy suave) que me permitió reducir la textura de la piel. Hay que ser muy cuidadosos en este punto, porque, si eliminamos demasiada textura, la imagen empezará a parecer excesivamente retocada, y no es eso lo que deseamos.

Por último, hice un recorte rápido y apliqué una ligera rotación para terminar con una foto prácticamente irreconocible junto al original. Y todo ello se hizo en Lightroom en menos de 20 minutos.

Obviamente, que la modelo sea guapa siempre ayuda, así como que la fotografía esté bien iluminada, lo que hace más fácil trabajar sobre ella. No obstante, todo esto sirve como ilustración fabulosa de cómo una pequeña labor de postproducción puede transformar completamente para mejor nuestras fotos.

Para aprender más

Ahora que ya hemos llegado hasta aquí, seguro que somos mejores fotógrafos. Nuestros amigos ya no se encogen de miedo cuando nos ven aparecer, cámara en ristre, porque saben que hemos avanzado mucho. De hecho, están encantados de ver las magníficas fotos que les hemos hecho.

Este es, a menudo, el lugar en el que numerosos fotógrafos se quedan atrapados. Hemos visto una mejora significativa en la calidad de nuestras fotos y ahora, de pronto, nos falta la inspiración. O también puede ser que hayamos visto detenerse nuestra mejoría de repente.

Esto es un poco como aprender a conducir. Cuando empezamos, resulta terriblemente complicado y frustrante. Todo el mundo parece capaz de conducir un coche, así que, ¿por qué nos cuesta tanto? Después de unas lecciones, vamos aprendiendo cada vez más rápido y mejoramos enormemente. Finalmente, cuando obtenemos el permiso de conducir, sentimos que todavía nos queda mucho por aprender. Pero, de pronto, nos resulta muy difícil hacer mejor aquello que nos gusta tanto.

Todo esto forma parte del proceso natural de aprendizaje, así que no debemos preocuparnos demasiado. Este capítulo será de gran ayuda para superar ese trance, o eso esperamos. Está diseñado para que nos ayude a lograr el propósito de ser mejores fotógrafos.

El problema es que, de ahora en adelante, debemos caminar solos. Hemos visto todo lo básico y ya no es posible saber en

---

Puntos clave en este capítulo

Nunca se deja de aprender a ser mejor fotógrafo. Nuestro verdadero desafío consiste en no dejar de exigirnos cada vez más, buscar siempre nuevas fuentes de información y en evolucionar constantemente.

Cuando sepamos dónde buscar la inspiración y cómo traducir esa inspiración en mejores fotografías, estaremos en el buen camino.

qué es necesario profundizar, salvo centrándonos en cada caso particular. La parte buena es que nosotros mismos conocemos bien nuestras dificultades y dónde debemos mejorar. Este capítulo quiere servir de punto de partida para cualquier mejora posterior. ¡Buena suerte!

Salir de la rutina

Sería deseable que ya hubiéramos hecho unos pocos retratos de los que sentirnos orgullosos. Y es muy tentador utilizarlos como plantilla para futuras fotografías. Al fin y al cabo, es algo que ya sabemos que funciona, así que ¿por qué no iba a funcionar de nuevo? Bien, eso es cierto, pero por muy atractiva que suene la idea de poder

sacarnos de la manga retratos estupendos como si nada, lo cierto es que tenemos que crecer como fotógrafos.

Soy partidario acérrimo de desarrollar un estilo propio como fotógrafo, pero pocas cosas me ponen más triste que encontrar la página de algún fotógrafo principiante en Flickr repleta de buenas fotos, y casi todas iguales.

La fotografía no consiste solo en hacer buenas fotos, también es necesario mantener las cosas interesantes.

Una forma de expandir nuestros horizontes consiste en mezclar cosas. Si, normalmente, disparamos con luz natural, debemos probar a hacer algunas fotos con iluminación artificial. Si preferimos hacer retratos en estudio, deberíamos probar a hacerlos fuera. Si, por lo general, retratamos a modelos en solitario, tendríamos que intentarlo con parejas; tal vez, una boda.

La clave consiste en salirnos de los esquemas recientemente adquiridos. Esto no solo sirve para hacernos las cosas más interesantes, sino que nos proporciona una perspectiva nueva de nuestro propio estilo. Cuando decidamos, si es que lo hacemos, retomar un estilo particular que dominamos en su momento, podríamos encontrarnos con que hemos avanzado lo suficiente como para intentar un enfoque nuevo.

En cualquier caso, siempre debemos seguir haciendo fotos. La mejor forma de no llegar a ser un fotógrafo mejor es dejar la cámara cogiendo polvo en una estantería o metida en la mochila.

Aprender de las fotos de otros

Nos podemos beneficiar de las fotos hechas por otros fotógrafos de muchas formas. Como es fácil adivinar, ya solo mirar las fotos es bueno para nosotros. Pero, para desarrollarnos verdaderamente como fotógrafos, necesitaremos pensar en el cuadro completo: ¿cómo encaja una foto particular en lo que ya sabemos acerca de la fotografía? ¿Cómo podemos empezar a aplicar lo que no sabemos para mejorar nuestro nivel?

No se puede negar que una foto excepcional crea una experiencia emocional en el espectador. Si vemos una foto de esa categoría, no debemos pararnos ahí. Es nuestra obligación hacer todo lo posible por averiguar por qué es así. ¿Qué significa la foto para nosotros? ¿Tiene un atractivo universal? O, por el contrario, ¿es nuestra interpretación de la foto la que influye de algún modo en cómo nos sentimos frente a ella?

Ante cualquier foto que despierte nuestra admiración, debemos fijarnos sobre todo en su iluminación y tratar de desmenuzarla. ¿Podemos saber dónde está situada cada fuente

de luz y cómo afecta a la imagen? Si fuera necesario, deberíamos tomar lápiz y papel y dibujar un diagrama. Dibuje el modelo y la cámara y trate de situar cada una de las fuentes de luz en el mapa que acaba de crear.

¿Ha hecho el fotógrafo algo que no podamos replicar? Si quisiéramos, ¿seríamos capaces de recrear esta foto? Si la respuesta es sí, ¿podemos pensar en alguna manera de mejorar la foto? Y si es que no, ¿por qué? ¿Es que el fotógrafo ha utilizado algún equipo al que no tenemos acceso? ¿Podríamos hacerlo nosotros con nuestro propio equipo? ¿Podríamos tomar prestado o alquilar el equipo necesario para recrear la foto?

No se trata de "copiar" a los demás fotógrafos, sino de ver si seríamos capaces de copiar cualquier foto si quisiéramos. El esfuerzo mental del proceso de reconstruir una foto es muy valioso en sí mismo y permite aprender mucho.

Reconstrucción de una fotografía

Juguemos a reconstruir esta foto. ¿Qué nos hace falta? ¿Sería posible recrearla con el material al que tenemos acceso?

Empecemos por lo básico: necesitamos una ubicación. Estamos de suerte, no es tan difícil como si tuviéramos que ponernos cabeza abajo colgando del Empire State Building. Estoy seguro de que encontraremos un muro de ladrillos por ahí. Aún mejor: el muro de ladrillos tiene poco que ver con el efecto global de esta foto, así que igual valdría una pared de madera rústica. Apostaría a que no nos cuesta más de 20 minutos de paseo dar con un fondo aceptable.

Lo siguiente es encontrar una modelo. Bien, eso debería ser posible también. La chica de la foto es la cantante de una banda de rock industrial, pero lo que se buscaba en ella era la apariencia inocente, así que no hay necesidad de visitar ninguna compañía discográfica. Bastará con una adolescente aventurera que esté dispuesta a pasar unas cuantas horas delante de la cámara. Del maquillaje y la peluquería se encargó una amiga de la propia modelo, así que no debería ser muy difícil de replicar.

El traje y la muñeca no son muy difíciles de conseguir y, en todo caso, tampoco son lo fundamental de la fotografía. Sea creativo: Un

De este modo, quedan demostradas dos lecciones: en primer lugar, cómo descifrar una fotografía de otro fotógrafo y en segundo lugar, no es difícil ver que, de imágenes originalmente mediocres, se pueden sacar fotos bastante decentes.

vestido viejo de verano y un animal disecado tendrían el mismo efecto.

Lo más difícil aquí es la iluminación, pero echémosle un vistazo más de cerca. Se trata de una luz muy suave pero bastante direccional, que viene desde la parte superior derecha de la modelo. Estoy seguro de que podemos pensar en distintas maneras de lograr este tipo de iluminación, tanto con luz artificial como con luz natural. En el caso de esta foto, nos encontramos bajo una escalera exterior, y la luz es natural pero difuminada por las nubes y un edificio al otro lado de la modelo.

Por último, un toque de postproducción: incrementar el contraste, aplicar un filtro azul y una conversión en blanco y negro; lo estándar, vaya.

Desde luego que no es la mejor foto que se haya hecho jamás, pero pienso que ilustra el proceso mental que podemos seguir para aprender más acerca de las fotos hechas por nuestros fotógrafos preferidos.

Aprender de nuestras propias fotos

Podemos aprender de nuestras propias fotos tanto como lo hacemos con las de otros fotógrafos. Por descontado, puede resultar difícil ser objetivos con nuestro propio trabajo para poder descomponerlo y analizarlo convenientemente, pero siempre aprenderemos algo si estamos dispuestos a criticar nuestras propias obras.

Un truco que podemos hacer es abrir nuestra foto en un ordenador y voltearla a lo largo del eje vertical. De ese modo, estaremos observando una imagen especular de la misma. A menudo, observo mis fotos de este modo antes de decidir si las voy a utilizar para algo o no. Me ayuda verlas desde un punto de vista diferente, ¡literalmente! Desde esta perspectiva, a veces, los fallos parecen saltarnos a la cara. Lo contrario también es cierto, sin embargo. Podríamos descubrir que nos gustan cosas de una foto en las que no habíamos reparado antes.

Otra cosa que podemos poner en práctica es buscar algo en cada foto que nos gustaría mejorar, incluso en las que mejor nos hayan salido.

Yo no soy el mejor de los fotógrafos, pero sé que para mejorar es preciso hacer todo de forma consciente, hasta las cosas más intuitivas. Lo que quiero decir es que si en algún momento sentimos que debemos cambiar de objetivo o modificar algún ajuste, debemos hacerlo pero teniendo en cuenta siempre revisar los resultados después. No debemos dejar nunca de saber por qué teníamos la sensación de que eso era lo que había que hacer. "Porque sí..." no es una razón válida. Siempre hay algo que nos hace tener la sensación de que podríamos mejorar la foto de un modo u otro.

Los pálpitos son muy valiosos. Representan la voz de nuestra experiencia, y estamos obligados a atenderlos. Es algo que se puede mejorar con la práctica. ¿Por qué vamos a cambiar algo? ¿Qué está mal y cuál será el efecto de

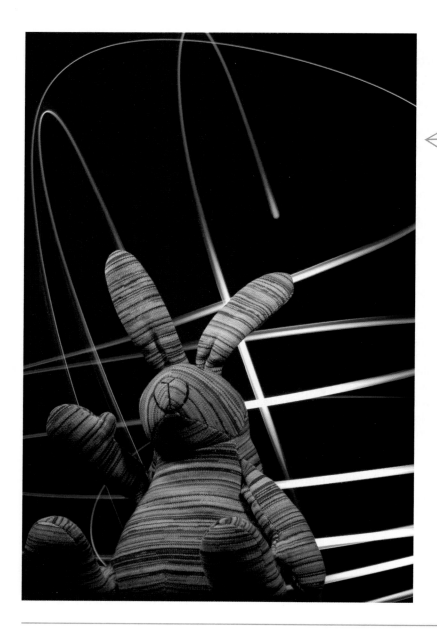

Cuando empecemos a experimentar con la luz, deberíamos probar antes con un peluche. Suelen ser más pacientes que los modelos, y eso es lo que vamos a necesitar más que nada, paciencia.

dicho cambio? La respuesta a estas preguntas nos ayudará a desarrollarnos y a ser mejores fotógrafos. Eso sí, debemos hacerlo conscientemente. Es un buen ejercicio, escribir honradamente nuestras respuestas a las preguntas más difíciles sobre nuestro trabajo, escribirlas en Flickr y compartirlas con otros fotógrafos buscando consejo. No importa cómo lo hagamos, pero hay que verbalizarlo. La próxima vez que nos encontremos en la misma situación, la foto perfecta saldrá casi sin esfuerzo.

Seré sincero: nunca he hecho una foto perfecta. Pero de eso se trata. La única forma de llegar a ser mejor fotógrafo consiste en pulir un aspecto de cada fotografía cada vez, y de este modo las fotos que hagamos estarán cada vez más cerca de la perfección.

Dónde buscar inspiración

Si alguna enseñanza debe quedar de este libro, que sea que debemos compartir nuestras fotos con otras personas. Una buena idea es pegarlas en un álbum y enseñarlas en nuestro lugar de trabajo, o bien ponerlas en Flickr o Facebook, mostrarlas en una galería o intentar que el dueño de nuestro pub favorito nos deje exponerlas.

Sea lo que sea lo que vayamos a hacer, es una buena idea preguntar a la gente qué opina de nuestras fotos. No tenemos por qué estar de acuerdo con ellos, ni siquiera estamos obligados a creer que sus opiniones son sensatas, pero siempre es interesante ver lo que la gente saca de nuestras fotografías. ¿Podríamos haber pasado por alto algo?

Del mismo modo, si pasamos tiempo observando las fotos de otros, no estaremos perdiendo este tiempo. Es bueno salir y explorar.

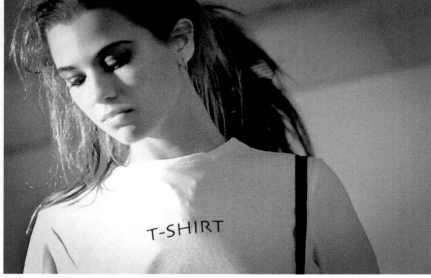

Webs para alimentar nuestra pasión fotográfica

Flickr.com

Un lugar fantástico tanto para principiantes como para profesionales. Encuentre a alguien de su nivel y empiece a seguir su trabajo. Deje sus comentarios y observe qué pasa. Me puede encontrar en flickr.com/photocritic.

deviantart.com

deviantART resulta estupendo para cualquier clase de arte, pero su sección de fotografía es maravillosa para ir acostumbrándose a recibir críticas. Es una comunidad muy hospitalaria, y eso ayuda.

photosig.com

Se trata de un sitio web diseñado específicamente para aportar comentarios a las fotografías. Si bien se hacen críticas, creo que photoSIG es estupenda para conocer las críticas que en el pasado otros han dedicado a fotos que me gustan.